知的生きかた文庫

禅、シンプル生活のすすめ

枡野俊明

三笠書房

はじめに

ちょっと「習慣」を変えるだけ。ちょっと「見方」を変えるだけ。それが、禅的生活《シンプルライフ》

古都の神社やお寺に出向き、しんと静まり返った庭を眺める。

汗を流して山に登り、頂上からの景色を一望する。

青く透き通った海を前に、ただゆっくりと佇《たたず》む――。

あわただしい日常を離れ、非日常に身を置いた瞬間、すーっと心が洗われるような気持ちになったことはありませんか。

心が軽くなり、体の底からじんわりと力が湧いてくる。日常の悩みやストレスが一瞬で消え、ただ生きている自分を感じる瞬間です。


今、多くの人はどう生きるべきかに迷い、悩み、足場を失っています。だからこそ、非日常を求め、心の疲れをリセットしようとする。

でも。でも、なのです。

一度リセットしてみたところで、非日常はやっぱり「日常に非《あら》ず」。いつもの生活に戻ってみれば、心はささくれるし、ストレスもたまる。重くなった心を抱えて、また非日常へ——そんな堂々めぐりをしていませんか。

いくら「生きにくい」と嘆いてみても、世の中は簡単に変わらない。世の中が思い通りにいかないのであれば、いっそ自分を変えてしまおう。そして、どんな世の中であっても、ラクに、のびやかに生きてみよう。わざわざ非日常に出かけなくても、毎日の生活をちょっと変えるだけで、いつも身軽に生きる方法はないものか。

それが本書の「禅的生活《シンプル》」です。

生活を変えると言っても、難しいことではありません。ちょっと「習慣」を変えるだけ。ちょっと「見方」を変えるだけ。京都や奈良に行かなくても、富士山に登らなくても、家の近くに海がなくても、本当にちょっとしたことで、非日常を味わうことは可能なのです。

その方法を、本書では「禅」の力を借りて紹介していきます。

「禅」とは、人間がこの世で生きていくための根本となる教えです。

つまり、人が幸せに生きるための習慣であり、考え方であり、ヒント。深くてやさしい「生きる知恵」の宝庫なのです。

禅を象徴するのが「不立文字《ふりゅうもんじ》、教外別伝《きょうげべつでん》、直指人心《じきしにんしん》、見性成仏《けんしょうじょうぶつ》」という教え。文字や言葉にとらわれることなく、今、ここにいる自分の「本来の姿」に出会うことです。

他人の価値観に振り回されないように、余計な悩みを抱えないように、無駄なものをそぎ落とし、限りなくシンプルに生きる。それが、〝禅スタイル〟。

シンプルに考える癖をつけると、悩みがすっと消える。

シンプルな習慣を身につければ、生きるのはずっとラクになる。

生きにくい世の中だからこそ、「禅」が生きるヒントを与えてくれそうです。

「禅」は昨今、日本だけでなく海外でも注目を集めています。

私は禅寺の住職を務めるとともに、庭園デザイナーとしても活動していますが、禅宗の寺の庭園ばかりでなく、ホテルの庭園やあるいは海外の大使館の庭なども手がけてきました。「禅の庭」は日本人ばかりでなく、宗派を越えて海外の人たちの心をもとらえているのです。

「禅とは」なんてしかめっ面をしなくても、その庭の前に佇むだけで心が洗われるような気持ちになる。ざわざわと波立っていた心が、ふっと静まり出す。

「禅」の思想を説いた書物を何冊も読むより、「禅の庭」と対面するほうが、その心はずっと伝わるのでしょう。

だから本書では、実践的な内容を紹介しています。頭だけで理解するのでなく、ちょっとした〝修行〟気分で実践してみてほしいと思います。

いつでもそばに置いておいて、悩みや不安が頭をもたげてきたときに、ぜひめくってみてください。

きっと、探している「答え」がそこにあります。

合掌

枡野俊明

もくじ

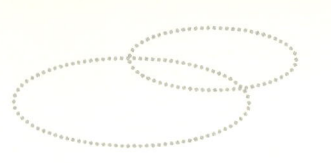

第2章

【生きる「自信」と「勇気」が湧く30項】

ものの「見方」を変えてみる

第3章

【迷い・悩みに「答え」をくれる20項】

人との「関わり方」を変えてみる

第4章

【どんな日も「最高の一日」にする20項】

「今」「この瞬間」を変えてみる

編集協力／岩下賢作

第1章

「習慣」をちょっと変えてみる

【「今日のあなた」を元気にする30項】

1

ボーッとする時間をもつ

——まずは「自分」を観察する

あわてず、焦らず、あるがままの自分で

皆さんは日々の生活のなかで、何も考えずにボーッとする時間がありますか。「そんなに暇な時間なんかない」と言う人がほとんどではないでしょうか。仕事に追われ、時間に追われ、生活に追われる日々。現代はなんと忙しいことか。目の前にあるやるべきことをこなすだけで精一杯の毎日。

そんな毎日にどっぷりと浸かっていると、知らず知らずのうちに、本当の自分の姿や、本当の幸福が見えなくなってしまいます。

一日のうちで、たった十分でもかまいません。何も考えずにボーッとする時間をつくってみてください。

周りのものにとらわれることなく、ただボーッとしてみる。いろんなことが頭に浮かんでくるでしょうが、それらをどんどん頭の外へ流してみる。そうすると、移ろいでゆく大自然のなかに今、自分が生かされていることに気がつきます。何事にもとらわれない、純粋で素直な自分が顔を出します。

何も考えない時間。それこそが禅的生活の第一歩でもあるのです。

2

十五分、早起きしてみる

——心に余裕がないときの処方箋

忙しいとは「心を亡くす」こと

時間に余裕がないと、心まで余裕をなくします。口を開けば「忙しい、時間がない」と言う。そう思うことで、さらに気持ちがせわしくなってくる。

でも、本当にそんなに忙しいのでしょうか。ただ自分で自分を急がせているだけではないでしょうか。

忙しいとは「心（忄）を亡くす」と書きます。

時間がないから忙しいのではなく、心に余裕がないから忙しいのです。

忙しいときほど、いつもより十五分、早起きしてみてください。そして、背筋を伸ばし、丹田《たんでん》——ざっくりと言えば下っ腹——でゆっくり呼吸をしてみてください。呼吸が整うと、自然と気持ちも静かに整います。

そして、ゆっくりとお茶やコーヒーを味わいながら、部屋の窓から空を眺める。小鳥たちのさえずりに耳を傾けてみる。

ただそれだけのことで、気持ちに余裕が生まれてくるから不思議。

十五分の早起きは、忙しさから解放される魔法です。

3

朝の空気をしっかり味わう

――お坊さんの長生きの秘訣、ここにあり

一日として同じ日はない

禅の修行をしている僧侶たちは、長寿の人が多いと言われています。

もちろん食生活や呼吸法などもその理由のひとつですが、何よりも規則正しい生活が精神的にも肉体的にもいい影響を与えているのだと思います。

私は毎朝五時には床を離れ、まずは朝の空気をいっぱいに吸い込みます。寺の本堂や客殿、庫裡《くり》の雨戸を開けて回りながら、四季の移り変わりを体中で感じる。六時半からは朝のお勤めをし、朝食をいただく。そして、その日の仕事に従事するわけです。

毎日くるくると同じことをくり返しますが、一日として同じ日はありません。朝の空気の味、朝日が差し込む時間、頬をなでる風、木々の葉の色や空の色など、すべてが移ろいでゆく。朝は、こうした変化をしっかりと感じることができる時間です。

修行僧たちが、夜も明けぬうちから坐禅を組むのは、こうした自然の変化を体で感じるためです。

「暁天《きょうてん》坐禅」――朝一番の坐禅は、朝の美しい空気を吸い込むことで、心身をすこやかにしてくれる行なのです。

4

脱いだ靴を揃える

——すると、生き方が美しくなる

心の乱れは足元に表われる

昔から、家の玄関を見れば、その家庭の様子がわかると言われています。履物がきちっと揃えられているか、はたまた乱雑になっているか――ただそれだけで、住む人の心の状態がわかってしまうものです。

禅には「脚下照顧《きゃっかしょうこ》」という言葉があります。その意味は、自分の足元をよく見なさいということ。自分の足元が見えていない人は、自分自身が見えていない、ひいては、人生の行く先も見えていないということです。大げさに思われるかもしれませんが、こうした小さなことが実は、生き方に大きく影響しています。

家に帰ったら、玄関で脱いだ靴をきちんと揃える。食事に行って座敷に上がるときにも、靴をすっと揃える。たったこれだけのこと。三秒もあれば十分です。

しかしこうした習慣を身につけることで、不思議と生活すべてがきりっとしたものになる。生き方が美しくなる。人間とはそういうものなのです。

まずは自分の足元に目を向けてください。

靴を揃えるのは、次に踏み出す一歩のためでもあるのです。

5

いらないものを捨てる

——「心が洗われる」ってこういうこと

「得る」よりも「手放す」ことが先

私たちは、物事がうまくいかないとき、「何かが足りない」と思ってしまいがちです。でも、今の状況を変えたいなら、何かを「得る」よりもまず「手放す」ことが先。禅的生活の基本は、ここにあります。

執着を捨てる。思い込みを捨てる。持ち物を減らす。シンプルに生きるとは、心や体の荷物を捨てることでもあります。

涙を流したあとは、なぜか心がすーっとしますね。泣くことで、もやもやとした心のつかえがスカッと晴れる。また頑張ろうという気が湧いてくる。**洗心**――「心が洗われる」とはこういうことだったのかと実感します。

心の荷物でも、体の荷物でも、身の回りの荷物でも、手放す・捨てるという行為は、なかなか難しいものです。人との別れがつらいように、ときに痛みをともなうこともあるでしょう。

でも、物事の流れをよくし、軽やかに生きたいのであれば、まずは手放すことから始めてください。手放した瞬間、新たに入ってくるのは「豊かさ」です。

6

デスクの上を整える

——掃除とは、自分の心を磨くこと

あなたのデスクは、あなたの心を映し出す鏡

会社で、周りのデスクを見渡してください。デスクの上がいつも美しく整頓されている人は、おそらく仕事のできる人でしょう。反対に、いつもデスクの上が乱雑になっている人は、心が定まらず、仕事に集中できていないと思います。

物が曲がっていたら真っ直ぐに直す。散らかっていたら片づける。そして帰宅するときには、きちんとデスクの上を整理整頓する。そういう習慣がある人は、心もすっきりと片づいています。雑念がなく、一〇〇%仕事に集中できるのです。

禅寺の修行僧は朝に夕に掃除をします。汚れているわけではないのに、一生懸命に掃除をしている。それは寺をきれいにすることだけが目的なのではなく、掃除をすることで自分自身の心を磨いているのです。

ひと掃きするごとに、心のチリが消える。

ひと拭きするごとに、心の輝きが増す。

これは会社のデスクでも自宅の部屋でも同じこと。悩みや不安に惑わされることなく、常に清々しい心をもつ鍵は、まず身の回りを整えることです。

7

一杯のコーヒーを丁寧に淹れる

――あえて時間をかけることの幸せ

労力を省くのは、人生の楽しみを省くこと

皆さんはコーヒーが飲みたくなったらどうしますか。家にいるならコーヒーメーカーをセットする。外にいるなら数百円で淹《い》れたてのコーヒーを買う。ごく当たり前の光景です。

でも、ここでちょっと想像してみてください。

まずは自然のなかに足を入れて薪《たきぎ》を拾ってくる。自分の手で火をおこして湯を沸かす。「ああ、今日はいい天気だな」と空を眺めながら豆を挽く。

そうして淹れたコーヒーの味は、おそらく、コーヒーメーカーでつくったものよりも数倍おいしい。それはどうしてかと言えば、一つひとつの行為に「命」が吹き込まれているからです。薪を拾う行為、火をおこす行為、そして豆を挽くという行為。どの行為にも無駄なものはひとつもありません。それが生きているということです。

時間と労力のなかにこそ命が宿っている。すなわち時間と労力を省くことは、人生の楽しみを省いているのと同じこと。

ときには、便利さの〝裏側〟を体験してみてください。

8

字を丁寧に書く

――字から自分自身が見えてくる

他人に向けている目を、自分に向ける

昔から、禅僧たちは書や絵を嗜《たしな》んできました。

禅の世界で書や絵を嗜むとはどういうことなのか。それは価値ある作品を残そうとか、上手か下手かという次元のものでなく、自分自身をそのなかに投影させようとする行為なのです。

たとえば名僧と言われた一休和尚の書などには、えも言われぬ迫力が感じられます。その書に込められた心は見る者たちを圧倒します。雪舟の山水画にしても、あの墨が滲んだ波のなかに、彼の精神が込められている。

つまりは書や絵自体が彼らの心そのものなのです。

書や絵を嗜むということは、すなわち自分自身と対峙《たいじ》すること。雑念を捨て、ただ筆を走らせることです。

ときには、他人に見せることを意識するのでなく、自分と本気で向き合うために字を丁寧に書いてみてはいかがでしょうか。

たった一本の線に、ひとつの字の形に、「今のあなた」が表われるものです。

9

大きな声を出してみる

——「やる気」スイッチを入れる方法

お腹から声を出すことで、脳が目覚める

僧侶がお経をあげている場面に出くわしたことはありませんか。

よく声が響くお堂のなかで、僧侶は大きな声でお経をあげます。それが数人の僧侶ともなれば、大地から響いてくるような力強さを感じることもあるでしょう。

なぜ、そんなにも大きな声でお経をあげるのか。

それには理由があります。

大きな声を出せば、当然のことながら自分の声がしっかり自分の耳に入ってくる。それにより脳が刺激され、活性化されるのです。私たち僧侶が、朝起きてまずお経をあげるのは、脳を目覚めさせるためなのです。

さらに、大きな声を出すためには、姿勢を整え、腹式呼吸をしなければなりません。オペラ歌手がするのと同じ方法です。これが体にはとてもいい。ですから、僧侶が大きな声でお経をあげるのは、理にかなったことなのです。

朝のあいさつでも、「よしっ」と気合を入れるのでもいいから、日に一度大きな声を出してみる。意外なほどにすっきりするはずです。

10

食事をおろそかにしない

——食事は、丁寧に食べてこそ

喫茶喫飯——一心に食べること

食事をするとき、「食べる」という行為に意識を集中させていますか。

朝食は、ものの数分であわただしくとる。昼食は会社の同僚たちと一緒に、仕事の話をしながら。そして夕食はテレビを見ながら食べる。食べるという行為があまりにおろそかになっていないでしょうか。

禅には**「喫茶喫飯《きつさきつぱん》」**という言葉があります。お茶をいただくときには、お茶を飲むことのみに集中し、ご飯をいただくときには、ご飯をいただくことのみに集中することを言います。ひとつの惣菜を食べるときには、それをつくってくれた人に思いをはせる。野菜が畑で育まれている情景を思い浮かべる。自然の恵みに感謝の気持ちをもつ。

昔から、どんな食べ物も百人の人の手を経て自分の口に入ると言います。そういう心構えで食事をすれば、いかに自分が幸福であるかに気づくはずです。

なぜ、おいしいものが人を幸せにするのか。

それは、自分の命が他の命によって育まれていることの幸せを味わうからです。

11

食事では、一口ごとに箸を置く

――「感謝の気持ち」を味わってみる

禅の修行とは、坐禅を組むことだけではない

修行僧である雲水の食事は、基本的には精進料理です。朝食（小食）は粥と香の物。昼食（点心）はご飯に一汁、漬物。そして夕食（薬石）は一汁一菜です。ご飯だけはお代わりできますが、肉類は一切食べません。

禅の食事の心得として、**「五観《ごかん》の偈《げ》」**というものがあります。

ひとつには、多くの人を思い感謝していただく。

二つには、自分の行ないを反省し静かにいただく。

三つには、好き嫌いせず欲張らず味わっていただく。

四つには、健康な体と心を保つために良薬としていただく。

そして五つには、円満な人格形成のため合掌していただく。

わかりやすく言えば、こういうことです。

常にこの五つのことを思い、食事をいただけることに感謝し、一口ごとに箸を置く。なぜそうするかといえば、一口食べるごとに感謝の気持ちをもって味わうためです。

食事は、ただ空腹を満たす行為ではない。大切な修行の時間なのです。

12

野菜断食のすすめ

――心と体の〝即効クリーニング〟

高僧の居ずまいが美しい理由

徳の高いお坊さんなどは、見た目にも美しいものです。

それは、顔のつくりがきれいだとか、スタイルがいいとかいうことではなく、体も肌も透き通ったように清々しい美しさ。居ずまいが、立たずまいが、美しい。毎日早起きをし、丁寧に修行をくり返すことで、次第に体も磨かれていくのです。

心と体はダイレクトにつながっています。心が研ぎ澄まされれば、その清々しさは自ずと体にも表われてくるのです。

普段食べるものも、体だけに作用するわけではありません。心にも大きく影響しています。食べ物が「体」と「心」をつくっているのです。

野菜中心の食生活をすれば、心が穏やかになり、少しのことではイライラしなくなる。そして、肌に透明感が出てくる。逆に、肉ばかり食べていると闘争心が湧いてくる。肌も知らず知らずのうちに黒ずんできます。

とはいえ、まったく肉や魚を食べないというのも無理があるでしょう。

一週間に一日くらい、野菜だけで過ごしてみることをおすすめします。

13

好きな言葉を探す

――自分の心と向き合う時間

たとえば「本来無一物」――もともと何ももっていない

昔の家には床の間が必ず設《しつら》えられていました。

床の間に掛け軸を飾り、ことあるごとにそれを眺めて暮らす。自分の好きな絵を飾ったり、人生の指針となる言葉を書にして飾ったりと、床の間を見ればそこに住む人の心や生き方が伝わってきたものです。

座右の銘でもいい、尊敬する人の言葉でもいい、自分を省みることができるような書を家に飾ってみてはいかがでしょう。床の間がなければリビングの壁でもいい。上手に書いたものでなくてもかまいません。

それを見つめながら、心静かに自分と向き合う場と時間をもつことです。

何を書くべきか考えあぐねている人は、ぜひ次の言葉を。

「本来無一物《ほんらいむいちもつ》、無一物中無尽蔵《むじんぞう》」。

人間は生まれながらにしてもっているものなど何もない。しかし、誰もが無限大の可能性を秘めている、という言葉です。

だから、何も恐れることはない。何も心配することはない。それが、真実。

14

持ち物を減らす

――必要なものだけ手に入れる

物の命を「使い切る」という発想

代表的な「禅の庭」に、京都・龍安寺の石庭や大仙院の庭園があります。

これらは「**枯山水**《かれさんすい》」と呼ばれるもので、池や遣水《やりみず》などを用いずに、石や砂などによって山水の風景を表現するものです。

実際には水が存在しないところに、谷川の流れを感じる。

頭のなかに水のある情景を思い描き、その世界に心を遊ばせる。

まさに、「とらわれない心」を表現した庭なのです。

水の流れを表現するのに、必ずしも素材としての水が必要なわけではありません。

無駄なものをすべて省き、今あるものを活かして庭をつくる。見た目には、「ひとつの物」であっても、想像力と工夫によって、さまざまな使い方があるものです。

日常で買い物をするのでも、ひとつの物を手に入れる前に、それが本当に必要かどうかをよく考え、今ある物をもう一度見てください。

物をたくさんもつのが自由ではない。

大切なのは、物を自由に活かす心をもつこと。

15

部屋をシンプルに整える

——すると、心までシンプルになっていく

「簡素」と「質素」の違い

心と体の関係は、「鶏と卵」のようなものです。

心がシンプルに研ぎ澄まされれば、体も自ずからすっと引き締まる。逆に、食事を整え、体を引き締めていくことで、心もシンプルに磨かれていきます。

これは、心と部屋の関係でも同じこと。心を磨き上げたいなら、部屋もシンプルに整えていきましょう。

簡素な生活こそが美しい。それこそが禅の精神です。

簡素というのは、無駄なものを削ぎ落としていくことです。本当に必要なものを見極め、それを大切にしていくことです。それは「質素」とはまた違うものです。質素というのは、価値の低い物で生活すること。価値といっても、それは値段だけでなく、その物に対する思いの深さも含まれます。

シンプルに暮らすとは、たとえば、毎日使う茶碗などは本当に気に入ったものを使うこと。ひとつの茶碗を大切に、長く使うこと。本当に必要であればいい物を揃えること。簡素な生活こそが心を磨くもとです。

16

ベランダに小さな庭をつくる

――小さな小さな修行の場

どこにいても心を磨くことはできる

「樹下《じゅげ》石上《せきじょう》」。石の上にひとりで坐り、樹木の下で静かに坐禅を組む。そうすることで自然と一体になる。頭をよぎる煩悩を忘れ去り、何も考えずに坐禅を組む。これこそが禅僧の理想とする環境です。

しかし禅僧といえども、なかなかそのような環境に身を置くことは難しい。そこで、寺のなかに庭を設えることにしたのです。

何千里も彼方にある山を思い浮かべ、そこを流れる川の水音に思いをはせる。そして万里の風景を尺寸に縮め、小さな庭をつくり出す。雄大な自然をわずかなスペースのなかに表現する。まさに「禅の庭」は、僧侶たちの知恵が結集した芸術なのです。

あなたの家のなかにも、このような庭をつくってみてはいかがでしょうか。庭がないなら、マンションのベランダでもかまいません。ほんの一メートル四方のスペースで十分。そこにあなたの心の風景を表現してみてください。

心をエスケープさせる場所。本来の自分を静かに見つめられる場所。

きっと、お気に入りの空間になるはずです。

17

裸足で生活してみる

——病気知らずの体をつくる方法

なぜ修行僧は裸足で生活するのか

修行僧は、三百六十五日裸足で生活します。着るものもとても簡素な生地でできています。真冬でもそうした姿で過ごすわけです。

はじめのうちは慣れなくて大変な思いをしますが、慣れてくるととても爽快に感じられるものです。そんな生活で自然と体が鍛えられますから、禅僧たちはほとんどカゼをひきません。私くらいの歳になると、さすがに真冬には足袋《たび》を履きますが、やっぱり裸足の気持ちよさにはかないません。

そして、外に出かけるときには必ず草履《ぞうり》か下駄。

実はこれが、とても健康にいいのです。

足の親指と人差し指の間には、内臓や脳に関するツボが密集していると言われます。草履や下駄を履けば、鼻緒がそのツボを刺激してくれますから、歩きながらマッサージをしているようなものなのです。

家のなかでは裸足、出かけるときは草履や下駄。

休日などに試してみてはいかがでしょうか。

18

息をゆっくりと吐いてみる

——マイナスの感情を退治する方法

呼吸を変えれば心も変わる

「呼吸」という言葉は、息を吸う（吸）より、息を吐く（呼）という字が先にきています。つまり、息を「吸う」よりも「吐く」という行為が先なのです。

丹田に意識を集中させて、とにかくゆっくりと長く細く息を吐く。そうやって吐ききれば、人間は自然に息を吸おうとします。その流れにまかせてゆっくりと息を吸う。これをくり返しているうちに、気持ちがどんどん落ちついてくる。自分の体がどっしりと大地についているような気持ちになってくる。

つまりは浮ついた心から解放されるわけです。

胸のあたりで呼吸をしていると、どうしても気持ちが浮ついてきます。心のなかに焦りが生じて、呼吸はさらに速くなってくる。焦りやイライラのスパイラルにはまってしまうのです。

怒りや焦りといったマイナスの感情が湧いてきたら、そのときにこそ丹田呼吸を意識してみてください。

すっと気持ちが落ちつき、心が洗われるのを実感するでしょう。

19

坐禅を組む

——「坐って考える」ことの効果

人は体を動かしながら思考することはできない

禅の修行において、最も大切なのが坐禅です。禅は坐禅抜きに語ることはできません。坐禅に始まり坐禅に終わる。それが禅の修行であるわけです。

「禅」の語源はインドの「ドゥフヤーナ」という言葉です。これは「静かに考える」という意味をもつものです。

考えるという行為は、静かに〝坐る〟ことから生まれます。人間は体を動かしながら考えることはできません。人の心はひとつですから、体を動かすことに心が集中しているとき、深い思考を行なうのが難しいのです。

歩きながら何か考えようとしても、それはあくまで現実的なこと――たとえば仕事の段取りだったり、今日の夕飯の献立だったり――でしょう。この世の絶対真理とか生きる意味を見つけようとする深い思索は、動きながらできるものではありません。

坐禅とは、まず姿勢を整え、次に呼吸を整え、最後に心を整えること。この三つが整ってはじめて坐禅となります。

物事を頭にためず、浮かんでは流れるままにして坐禅を組んでみてください。

20

立禅をする

——通勤時間の「禅的」活用術

簡単に気合を入れる方法

サラリーマンにとって、毎日の通勤は大変なものです。

でも私は、ある程度の通勤時間はあったほうがいいと考えています。たとえば会社と同じビルに自宅があったとしたらどうでしょう。通勤時間はゼロですから、さぞ便利だと思うかもしれません。

でも、「気持ちを切り替える」という点では、ちょっと難しいと思いませんか。

朝、出かけるときには父親の顔。そして、駅まで歩き、電車に揺られ、会社に着く頃には課長の顔になっている。よし、今日も頑張ろうと気合を入れる。

通勤時間という「橋」を渡ることで、キリリと違う顔になれるのです。

もっと気合を入れたいという方、ぜひ「立禅《りつぜん》」を試してみてください。これは、電車のつり革につかまりながらでも大丈夫。立ったままで丹田に意識を集中して坐禅をする、シンプルな方法です。

通勤時間でも、わずかな空き時間でも、ちょっとした工夫が禅的修行を助けてくれるのです。

21

考えても仕方のないことは考えない

――心が軽くなるってどういうこと？

ふと、「自分を忘れる」瞬間

坐禅を組んでいるときには何も考えてはいけない――そう言われますが、これはなかなか難しいものです。

基本的に、坐禅を組むときには目を完全には閉じません。ですから、周りの風景が目に入ってきて、どうしても何かを考えてしまいます。「和尚さんが近くにやってきたな。姿勢をもっと正さなくては」とか「そろそろ足が痺れてきたな」とか、さまざまな考えが頭をよぎります。

普通は、それが当たり前です。そもそも「考えてはいけない」と思っていること自体が考えているのですから。

しかし、坐禅を少し経験すると、一瞬ではあるけれど何も考えない瞬間が必ず訪れます。「あれ、今自分は何を考えていたんだろう」と。そして、「自分」という感覚さえも忘れてしまう。これこそ、何も考えていない瞬間です。

ある瞬間、心が透明になっている。余計なものが頭から消え去っている。ふっと透き通った世界に入っていくような感覚。心が軽くなるとは、こういうことなのです。

22

気持ちを上手に切り替える

——心のなかに「門」をつくる

「必要な無駄」もある

お寺や神社へと続く参道には、必ずいくつもの門や鳥居《とりい》があります。

お寺なら、総門《そうもん》、中門《ちゆうもん》、三門《さんもん》という三解脱門《げだつもん》などを通って、やっと本堂へとたどりつく。神社もまた、一の鳥居、二の鳥居、三の鳥居などがあります。

どうしてこんなにも無駄な設えをするのか。

いや、それらは「必要な無駄」であるのです。

門や鳥居は、**「結界《けつかい》」**と呼ばれます。つまりは二つの世界を結んでいるということ。

この「結界」をひとつまたぐごとに、清らかな世界へと近づいていくわけです。

仏教の世界では**「浄域《じょういき》」**という言い方をしますが、空間の清らかさが「結界」ごとに高まっていくのです。だから、お寺の三門は必ずまたぐようにできています。ただすっと通るだけでなく、高低差をつけて、わざわざまたぐようにしてある。それは、またぐという行為によって、「浄域」に入ることを実感させるためなのです。

たとえば通勤時間も「必要な無駄」と考えてみる。「プライベートの自分」と「仕事の自分」のスイッチを切り替える〝無駄だけど必要な時間〟です。

23

ゆっくりと呼吸する

——昼休み五分の「椅子坐禅」

心を整えるには、まず姿勢と呼吸を整える

会社でデスクワークをしていると、知らず知らずのうちに姿勢が前かがみになります。これは本来人間に備わっている姿勢ではないので、集中力が散漫になり、ちょっとのことでイライラしたり落ち込んだりしてしまいます。

そこで、ひと工夫。昼休みの五分で、椅子に座ったまま坐禅をしてみてください。

坐禅の基本は**「調身《ちょうしん》・調息《ちょうそく》・調心《ちょうしん》」**の三つ。姿勢、呼吸、心を整えることです。

まずは、横から見て背骨がS字を描き、尾てい骨と頭のてっぺんが一直線上になるように、正しい姿勢をつくること。これが調身です。

次に、呼吸を整えていきます。おそらく仕事をしているときの緊張状態では、息を吸って吐くという呼吸を、一分間に七〜八回ほど行なっているでしょう。これが、ゆっくりとした呼吸を意識することで、自然に三〜四回程度になります。

この調息がうまくいけば、自然と心も整ってくる。それが調心の状態。

頭も心もかなりリフレッシュしているのを実感できるでしょう。

毎日、昼休み五分の「椅子坐禅」で、一服の清涼剤を。

24

手を合わせる

——イライラしたときの「心の静め方」

「合掌」の意味——左手は自分、右手が相手

両手の掌を静かに合わせ、何かに祈ったり自らを省みたりする時間。お墓参りやお寺参りだけでなく、日常でもそんな時間をもつことをおすすめします。

そもそも合掌とは何か。右手は自分以外の相手です。仏様であったり神様であったり、あるいは目の前にいる他人であったりします。そして左手は自分自身。合掌とはこの二つをひとつにするという意味です。つまり、自分以外の誰かを敬う気持ち——それが合掌であり、礼拝《らいはい》（低頭《ていず》）なのです。

手を合わせることで感謝の気持ちが生まれ、そこには争いごとは生じません。手を合わせたまま、相手を攻撃することはできないでしょう。手を合わせながら「ごめんなさい」と言われたら、怒りやイライラもおさまってしまう。そこに合掌のもつ意味があるのです。

家のなかに、手を合わせる場所をつくっておくのもいいでしょう。仏壇や神棚がなくても、家の柱にお寺や神社のお札を張っておき、そういう場所に向かって静かに手を合わせてみる。そんな小さな習慣が、驚くほど心を静めてくれるものです。

25

ひとりの時間をもつ

――禅的生活の第一歩

「市中の山居」のすすめ

日本人の理想とする生活。最も美しいとする生活。それは隠遁《いんとん》生活であると言われます。名僧、西行《さいぎょう》や良寛もそういう生活を営んでいました。

鳥の声や水の音を聞きながら静かに書物を読む。酒をひとり飲みながら、杯《さかずき》に映った月を眺める。近くに動物がやってくれば一緒に遊ぶ。常に自由な心で、あるがままの姿で生きている。そういう生活を理想としてきたのです。

山のなかにひとりで籠もる**「山中の山居《さんきょ》」**。鴨長明《かものちょうめい》は『方丈記』で「山中の山居」と言っています。禅僧はそれこそが理想の修行であると考えていたのです。

しかし、現実にはそれがなかなか難しい。それでも隠遁の心をもっていたい。そこで千利休《せんのりきゅう》が**「市中の山居」**ということを言ったのです。あわただしい街なかにいながらも山居の状態をつくる。だから茶室は必ず母屋《おもや》から離れた場所につくります。

この市中の山居を実践してみてはいかがでしょうか。

人間関係から外れて、ひとりきりで過ごす場所。自然のなかで心の自由を取り戻す場所。一瞬の隠遁が、これから進むべき道を照らしてくれるでしょう。

26

自分の手で自然に触れる

――すぐそこにある幸せに気づく

道端の石を拾って、匂いをかいでみる

あるテレビ番組の企画で、小学生の子どもたちに授業をしたことがあります。

私がそこで提案したのは、箱庭をつくるということ。

まずは学校のなかのお気に入りの場所で、ひたすらボーッとした時間を過ごしてもらう。そこで感じた自然を各自が箱庭として表現するというものです。

縦四十五センチ、横六十センチの箱のなかに、土や砂利や木の枝や葉っぱを自由にアレンジする。私は庭園デザイナーとしても活動していますが、その私から見ても子どもたちの箱庭はみごとな出来ばえでした。

水を流し込んで池をつくる子、枝を斜めに配置して風を表現しようと試みる子、影をつくることに一生懸命な子……日頃は学校と塾に追われている子どもが、イキイキと箱庭づくりに熱中している。自然と対峙する素晴らしい時間が流れていました。

自分の手で自然に触れてみてください。石が転がっていたら、手に取ってさわってみてください。道端に花が咲いていたら、匂いをかいでみてください。

そして心のなかに、自分だけの箱庭をつくってください。心が落ちつくはずです。

27

夕焼けを眺めに行く

——今日一日を無事に過ごせたことに感謝する

自分の「夕焼け階段」を探してみる

東京の下町、谷中《やなか》。そこに「夕焼けだんだん」という場所があります。何の変哲もない階段ですが、そこに座って空を見上げれば、美しい夕焼けを見ることができる。

誰が名づけたかは知りませんが、いつしかそれは「夕焼けだんだん」と呼ばれるようになりました。今ではたくさんの人たちが夕焼けを眺めにやってくるそうです。

考えてみれば、そんな場所は日本中どこにでもあるはずです。田舎のほうに行けば、あぜ道沿いにいつもきれいな夕焼けを見ることができる。都会でも、ビルの屋上にのぼれば大きな夕焼けが迫ってくる。

わざわざ谷中に出向かなくても、自分にとっての「夕焼けだんだん」はいくらでも探すことができるのです。

大切なことは、そこに座って夕焼けを眺めるということです。夕方になれば、ふと足を止めて空を見上げてみる。そして「ああ、今日も一日無事に過ごせたな」という感謝の気持ちをもつ。心がじんわりとする瞬間です。

何も設えられていないただの階段。いいものです。

28

今日できることは、今日やる

――後悔、先に立つものです

ある名僧の遺言に学ぶ

江戸時代の終わり、博多に仙崖和尚という名僧がいました。

いよいよ和尚が最期を迎えようとしたとき、弟子たちは遺言をいただこうとした。すると、和尚は「死にともない」（死にたくない）と言った。さすがに名僧の遺言が「死にたくない」では、格好がつかない。そこで弟子たちは、再び何か言葉が欲しいと和尚の枕もとで頼んだ。

すると、和尚は言った。

「それでも死にともない」と。

十一歳のときに出家して以来、八十八歳まで修行に励み、悟りを開いたとされる名僧でさえ、この世に未練が残っていたということです。

人間は一〇〇％死ぬ運命にある。そうわかっていても、やはり死を前にすれば未練が残るものです。同じ死を迎えるなら、やはり未練は少ないほうがいい。わが人生はよきものだったと思って旅立ちたい。

「行解相應《ぎょうげそうおう》」――自分でできることをやっておくという言葉です。

29

眠る前は嫌なことを考えない

――眠る前五分の「布団坐禅」

自分をリセットする時間

寝つけない夜は誰にもあるものです。嫌なことを思い出したり、不安感が襲ってきたり、イライラして心が落ちつかなかったり。

そんなときこそ布団の上で坐禅を組んでみてください。

坐禅を静かに組んでいると、脳内にセロトニンという物質が出てきます。これはうつ病などの治療に効果のある物質で、気持ちを安定させてくれる働きがあるもの。薬を飲まなくても、坐禅を組むことで、セロトニンが脳内に供給されることが医学的にわかっています。

そして、脳が安定した状態になると、じわじわと血管が広がり、血流もよくなる。すると次第に、体中がポカポカとしてくる。

頭のなかのもやもやがリセットされ、体が温まれば、自然と眠くなってきます。

そして床についたら、一日を無事に過ごせたことに感謝し、今日の出来事は頭のなかにとどめておかないことです。

目が覚めたら、もう新しい自分。眠る前五分の効果、あなどれませんよ。

30

今できることを一生懸命にやる

――すると、大きな運が巡ってくる

雲を追いかけても捕まえることはできない

「白雲自ずから去来す」という言葉があります。

夏の暑い日差しを受けながら畑仕事をしている。太陽を遮《さえぎ》る雲もなく、その暑さにじっと耐える。ふと空を見上げると、遠くのほうには白い雲が浮かんでいる。「ああ、あの雲の下に行けばきっと涼しいだろうな。早くあの雲がこっちに来ないかな」と期待し、雲が来るまで仕事をやめてしまおうかと考えたりもする。

しかし実際には、雲は自分のところには来ないかもしれない。仕事を休んでいるうちに日が暮れてしまうかもしれない。

雲が近づいてくるのを待つのではなく、今すべきことにひたすらに取り組むことです。暑さを忘れるほどに一生懸命に仕事をする。そして気がつけば、知らぬ間に雲が涼を運んできてくれる。

ここで言う雲とは、言い換えれば運やチャンスのことです。運に恵まれている他人を羨んでいても仕方がない。チャンスが来ないと嘆いていても仕方がない。ただ一生懸命に今やるべきことをやる。そうすれば、運は必ず巡ってくるものです。

第2章

ものの「見方」を変えてみる

【生きる「自信」と「勇気」が湧く30項】

31

「もうひとりの自分」に気づく

——あなたのなかの「主人公」を見つける

「主人公」は無限の可能性をもっている

最も自由に、最もラクに生きるために、禅では「自分はこういう人」と決めつけないことが大事だと説きます。

たとえば、こんなふうに考えてみてください。

自分のなかにもうひとりの自分がいる。そのもうひとりの自分は、いつもの自分より自由で、たくさんの可能性に満ちている。その人こそ、実は本来の自分。自分のなかにいる、真実の主人公。

この**「主人公」**という言葉、もとは禅語です。ある高名な僧侶は、自分を「主人公」と呼んで「はい」と答え、「目を覚ましているか」と尋ねて「はい」と答える、という問いかけをひたすらくり返したといいます。

社会では、誰もがなんらかの役割を担っています。サラリーマンであるとかお母さんであるとか、中華料理店のコックさんとか。それは確かに「自分」に違いありません。でも、実はもうひとりの自分がいる。その人こそ、自分のなかの「主人公」。

さあ、あなたも、「もうひとりの自分」の目を覚まさせてください。

32

起こっていないことで悩まない

——不安とは実体のないもの

不安？　それはいったいどこにある？

禅宗の初祖である達磨《だるま》大師。その教えを継いだ慧可《えか》という弟子がいました。

あるとき、慧可が達磨大師に悩みを打ち明けました。

「私の心はいつも不安でいっぱいなんです。どうかこの不安を取り除いてください」

慧可が訴えたところ、達磨大師は言いました。

「よし、ならば私がその不安とやらを取り除いてあげよう。だからまず、その不安とやらを私の目の前に出してみてくれないか。『これが今抱えている不安です』と目の前に並べてくれたなら、必ず私は取り除いてあげる。さあ、出してごらん」

こう言われてはじめて、慧可は気づいたのです。

心のなかにある「不安」というもの。実は、それは実体のないものなのだと。

実体がないものを恐れ、それに執着している。それがいかに空虚なものか、と。

起こっていないことで悩む必要はない。今起こっていることだけ考えればいい。

「不安」のほとんどは、あなたの心が勝手につくり出しているもの。不安に実体などないのです。

33

仕事を楽しむ

——仕事は自分が主人公になってこそ！

喜びはいつも、自分のなかにある

「随所《ずいしょ》に主となれば立処皆真《りっしょみなしん》なり」――臨済禅師が修行者を前に言った言葉です。

自分が置かれた境遇や立場のなかで、常に精一杯の努力をする。その場においては自分自身が主人公になって取り組む。

そういう姿勢で物事に臨めば、すべての人が真実に出合うことができる。そこに無上の喜びを見いだすことができる。そういう意味なのです。

私たちは、つらい仕事があれば、つい人のせいにしたくなります。「自分にはこんな仕事しかやらせてくれない」「こんな仕事なんて、誰でもできる」。でも、そう思っていては、仕事の喜びをつかむことは難しい。

目の前のことを一生懸命楽しんでやっている人は、それが次の良縁につながります。多くの場合、その楽しいことは今、目の前にあることがきっかけになっているのです。

今、与えられている場所、今、与えられている役割、今日出会う人、ちょっとした出来事……何がきっかけとなるかはわかりません。「こんな仕事なんて」という思い込みは捨て、とにかく今を生きることです。

34

ただ没頭してみる

――「とらわれない」ことのすごい力

「無念無想」――心を空っぽに、心をどこにも置かず

「無念無想《むねんむそう》」という言葉が禅にあります。これは一言で言うと、「無心」。心を空っぽにして、心をどこにも置かないということです。

あれこれと余計なことを考えず、今やるべきことに気持ちを集中させる。そうすることで人間は、素晴らしい力を発揮することができるという教えです。

江戸時代の名僧、沢庵禅師は、剣道の極意を次のように説いています。「相手の剣士と向き合ったとき、相手の肩に隙があると思えば、心は相手の肩にのみ縛られてしまう。腕に隙があると思えば、腕に縛られてしまう。勝てると思えば、勝つことに縛られてしまう。そうではなく一切心をどこにも置かないこと。一点に気力を集中しつつも、心はどこにも置かない。これが剣の極意だ」と。

仕事に集中していると思っていても、「休憩まであと何分だろう」とか「この仕事つまらないな」などと考えたりしていることは多いもの。逆に、休日に遊んでいても仕事のことが頭をよぎったりもするでしょう。

目の前のことに、ただ没頭してみる。すると、驚くほどのパワーが生まれるのです。

35

「目の前のもの」にとらわれない

――仕事がぐんと楽しくなる考え方

「一日作さざれば一日食らわず」

禅の概念では、仕事は労働ではなく、作務《さむ》という考え方をします。もともとインド仏教には生産活動というものは一切なく、僧たちは托鉢《たくはつ》だけで生きています。御布施として食べ物をいただくのが「作務」というわけです。ところが中国に仏教が伝わると、中国ではみんな山深い場所にお寺を築いた。いちいち山を降りて托鉢に行くことができないために、自分たちで畑を耕し、作物をつくりはじめました。つまり、作物をつくることもまた修行。働くこと（作務）が何より大切なことなので、働かないなら食べることもできない。それが百丈懐海《ひゃくじょうえかい》という和尚が残した「**一日作《な》さざれば一日食らわず**」という言葉なのです。

日々、仕事をしていると、目の前の作業や目に見える利益ばかりを追いかけてしまいがちですが、仕事の本質というのは、この考え方にこそあると思います。言うなれば、与えられた仕事すべてが作務であるととらえる。それらが自分を育ててくれると考える。

そう考えてこそ、真の仕事の喜びに出合えるのではないでしょうか。

36

人のせいにしない

――「縁」と「運」が押し寄せてくる考え方

その仕事もひとつの「出合い」です

会社の仕事で、すぐに結果を出す人もいれば、なかなか結果を出せない人もいるでしょう。その差はいったいどこにあるのでしょうか。

ほとんどの人間には能力の差などありません。

では何が結果を分けるのかといえば、それは、仕事に取り組む「気持ち」なのです。これは決してきれいごとではなく、多くの偉人が口を揃えて言う言葉です。どんなことでも、「やらせてもらって、ありがたい」という気持ちをもつこと。この仕事に出合って幸せと思うことです。

「やらされている」と思うからつらい仕事のように感じるし、嫌だという気持ちが湧いてくる。禅の修行も同じです。「どうして毎朝、庭掃除なんかさせられるんだろう」と思ったその瞬間に、修行の意味はなくなります。

人間が行なうことにはすべて尊い意味がある。その意味を見いだすには、まず自らが仕事の主人公になることです。仕事の主役は自分。そういう思いで取り組めば、どんな仕事もかけがえなのない仕事になるのです。

37

人と比べない

――今の仕事が自分に向いていないと思うとき

物事は、続けていくことだけが難しい

「今の仕事こそが私の天職だ」。そう思える人はとても幸せです。

一方で、多くの人は「果たしてこの仕事は自分に向いているのか。もっと他に自分に合った仕事があるんじゃないか」と感じているのではないでしょうか。

確かに人間には向き不向きがあります。

しかし、続けることでしか得られないものも確かにある。

僧侶の修行というのは、早起きをし、庭を掃き清め、お勤めをし……と、毎日同じことのくり返しですが、そのくり返しのなかにこそ「学び」があります。

何かを始めるのは勢いがあればできます。終わるのも簡単。ただ、続けていくことだけが難しいのです。もし、自分には向いてないと思いつつ月日が経っていくとしたら、それは向いているということではないでしょうか。

人はつい他人と比較してしまいます。隣の人の職業が羨ましく思えたりする。才能ある人を見て、落ち込んでみたりもする。でも、最終的には自分の身の丈に合ったことのくり返しが幸福につながっていくものなのです。

38

自分にないものを求めない

――「今」に満足する

「結果」を出す一番の近道

「夏炉冬扇《かろとうせん》」——夏の炉と冬の扇子——そのときには必要のないもののことです。今すぐには役に立たなくても、必ず役に立つときがくる。じっと時機を待つことの大切さを言っています。

一口に仕事といっても、華やかで周囲から羨ましがられるようなものもあれば、地味で目立たない仕事もあります。同じやるなら、目立つ仕事をやりたいと思うのが人情でしょう。

でも、華やかな仕事をしている人も、はじめからそうだったわけではありません。地味な仕事をコツコツと積み重ねた結果として、今があるのです。

一見、役に立たないことが、巡りめぐってひとつの結果に結びつく。今頑張っていることは、ひとつも無駄にならない。

「この仕事、誰かやってくれないか」と上司が言う。地味な仕事で、誰も手を上げようとしない。そのときこそ「私にやらせてください」と言ってみる。

そんな心がけのある人になりたいものです。

39

ときには、考えるのをやめてみる

——アイデアが隠れている場所

「心の間」から生まれるもの

何も考えないでボーッとした状態。それを意識的につくり出すことは、たやすいことではないでしょう。禅の修行僧でさえ難しいことです。

しかし、毎日を振り返ってみれば、無意識のうちにそういう状態になっていることがあります。

空を見上げて「ああ、きれいな雲だなあ」とボーッと眺めている。そしてふと我に返り「あれ、今自分は何を考えていたんだろう」と思ったりする。

こういう瞬間を、ぜひ大切にしてください。

仕事などでアイデアを出そうとするとき、誰もが必死になって捻り出そうとします。一瞬たりとも考えることをやめず、ひたすら考え続ける。

でも、いいアイデアを生み出したいなら、それは逆効果です。

アイデアやひらめきというものは、実は心の「間」にあり、思考と思考の狭間に存在しています。

その思考の狭間に心を誘うために、何も考えない時間を大切にすることです。

40

けじめをつける

——これが最高のストレス解消法

心のなかに「けじめ」という門をつくる

朝起きたらすぐにパソコンのスイッチを入れ、メールをチェックする。携帯電話でニュースを読んだり天気予報を調べたりする。

いつでもどこでも情報が得られる時代です。でも、そんな便利な世の中だからこそ、しっかりオンとオフの切り替えをする必要があります。

やはり「けじめ」は大事です。

心のなかに自分なりの「門」をつくっておいてください。

たとえば、マンションの敷地が第一の門。この門を抜ければ少し仕事のことを考えはじめる。電車の扉が第二の門。そこを通れば今日の仕事の段取りを考えはじめる。最後に、第三の門である会社のドアを入れば、そこからはもう仕事に集中する。

そして、仕事が終わって再び第一の門にたどりついたら、仕事のことは一切忘れてしまいましょう。

あとは、ひたすらリラックスする。家族のことだけを考える。

それがきっと、最高のストレス解消法です。

41

坐禅会に参加してみる

――〝心の垢〟を掃除するチャンス

悩みもストレスもお寺に置いて帰ればいい

坐禅を組む会を催しているお寺が増えています。

私が住職を務める建功寺でも、週に一度、坐禅会を開いています。何も難しいことはありません。基本さえ正しく習えば、誰にでもできることです。

静かに坐禅を組んで腹式呼吸をする。ただそれだけで、寒い冬も体がポカポカしてきます。深く呼吸をすることで、足先まで血が巡り、体が温まるのです。

また、坐禅を組んでいるときには、リラックスしたときの脳波であるアルファ波が優位になることも最近になって証明されたそうです。

悩みや考え事をいっぱい抱えてお寺に来る。そして静かに坐禅を組むことで、静かに自分自身と対峙してみる。

帰るときには、その悩みはお寺に置いていってもらう。

だから、坐禅会を終えて帰る人の表情は、目に見えて晴々としているのでしょう。その表情を見るたびに、私は大変嬉しくなります。

坐禅会は、心の垢を掃除するチャンスです。

42

一輪の花を育てる

——「今日という日」以上に大切な日はない

自然の世界は、毎日が新しい

一輪の花を種から育ててみてはいかがでしょう。鉢植えに種を蒔く。毎朝それに話しかけながら水をやる。やがて小さな芽が出てきて、一輪の美しい花が咲く。毎日、毎時間、毎分、花が成長し、変化していることに気づきます。

自然の世界は、毎日が新しい。ともすると人間は過去のことにこだわりがちですが、花を種から育ててみると、何者も同じ場所にとどまっていないことを実感します。

禅の生活とは常に自然と対峙することです。自然の命を感じ取り、自らも自然の一員であることを実感する。そこから心の安寧《あんねい》が生まれてくる。

私も毎朝、お寺の庭を歩きます。同じ庭であるにもかかわらず、日によってまったく違う姿を見せてくれる。晴れの日と雨の日では違うし、落ち葉の数も日によって変わる。同じ庭は一日たりともありません。

「日々新又日新」（ひびあらたにして、またひあらたなり）。

人間も同じです。今日のことは今日で終わり。明日はまた、新しい自分が生まれてくる。だから、心配しなくても大丈夫。

43

スタートを正す

――〝良縁スパイラル〟をつくる

「いいこと」を周りにたくさん起こす法

一年の始まりにする初詣《はつもうで》。これからの一年間、よき縁を結びたいと願う行事です。よい縁は、よい縁を連れてきます。悪い縁は、悪い縁を呼んできます。だからこそ、スタートを正すことが大事なのです。

これは仕事でも同じです。たとえば新しい仕事が舞い込んでくる。その縁を大切にし、一生懸命に仕事に打ち込めば、それが次の仕事へとつながっていきます。最初にやってくるよき縁を大事にすることで、次々と良縁が運ばれるのです。

逆に、悪い縁もまた然り。一度、悪い縁に足を踏み入れると、「悪縁スパイラル」にはまってしまいます。

もし、物事がうまくいかないと感じているなら、「喝《かつ》！」と自分に大声で言ってみてください。「喝」というのは、誰かを強く叱るときや、迷いを断ち切るときに使う言葉。物事の流れを変えたいときの「一喝」です。

悪縁は、自らが断ち切ること。そして、よき縁を大切につなげていくこと。それがよき人生のコツです。

44

自分自身を大切にする

——お守りを持つことの意味

お守りは、自分の分身

お寺の参拝者から、ときどき、こう聞かれることがあります。

「和尚さん、どのお守りが一番御利益がありますか。効き目の大きいお守りはどれですか」と。

どうやらお守りというものを誤解なさっているようです。だから私は皆さんに丁寧にご説明しています。

「お守りというのは、御本尊様（仏様）の分身だと思ってください。その御本尊様を一年間預かるわけです。つまり、あなたが御本尊様を守らなくてはいけないんですよ。お守りを大切にすることで、あなた自身を大切にすることになるのです」と。

お守りをもっているから、自分は少々無茶をしても大丈夫だろう、きっとお守りが守ってくれるはず。そう考えてはいけません。もしも自分が無茶なことをしてしまえば、それはすなわち御本尊様をも危険な目に遭わせることになる。

そうならないために、常に思慮深い行動を心がける。自分自身を大切にする。

それがお守りのもつ意味なのです。

45

シンプルに考える

——心を本当に満足させたいなら

一見、魅力的に見えても……

私の知り合いが体験した話です。

どうしてもオムライスが食べたくて、洋食屋さんに行った。メニューを見ていると、ふとハヤシライスが目についた。写真つきのメニューで、これがなんともおいしそう。どちらにしようか迷っていたところ、「オムハヤシ」（オムライスとハヤシライスが合体したもの）があることを発見し、喜び勇んで注文した。

結果、満足したかと思いきや、どちらの味も中途半端になってしまった。やっぱりどちらか一方にしておけばよかったと反省したということです。

冗談のような話ですが、この話に学ぶこと、もうおわかりでしょうか。

そう、迷ったら、シンプルに考えるのが一番ということです。

「一行三昧《いちぎょうざんまい》」――ただひとつのことに邁進する、という禅語があります。あれもこれもと手を広げず、ひとつのことに心を集中させていく。そうすればこそ、充実感や満足感が味わえる。もちろん、最初から「オムハヤシ」が食べたかったのなら、それを貫くことが心の満足につながるのですよ。

46

変わることを恐れない

——過去への執着と手を切る

変化するから美しい

春の訪れとともに咲き誇る桜の花には、無条件に心が躍るものです。

堅く閉じていたつぼみが突如として膨らみ、そしてみるみるうちに満開になる。しかしそれも束の間、一週間ほどもすれば散りはじめ、いつしか葉桜に変わっていく。短く潔い散り方。一時もとどまることなく移り変わっていくその姿。その美しさゆえに心を奪われるのです。

桜の花の美しさとはかなさは、日本人の最も好むところです。はかないがゆえに美しいという無常観。その無常観が日本に定着するのは、禅というものが到来し、その思想が広がってからだと言われています。禅の思想と桜を愛《め》でる心には、実は深い関係があるのです。

人生もまた同じ。それは常に移ろい、変化を遂げていくものです。年齢的な変化もあるし、環境の変化もあるでしょう。それらの変化を恐れないことです。

柔軟な心で変化を受け入れ、過去に執着しないこと。変化を嘆くのではなく、そこに新たな美しさや希望を見いだすこと。そんな人生を送りたいものです。

47

変化に「気づく」

——すべては、この「気づき」から始まる

自分を「定点観測」する効果

修行僧である雲水の起床は通常、毎朝四時。起床のことを禅では振鈴《しんれい》と言います。洗面を済ませ、四時十五分からは朝の坐禅に入ります。これを暁天《きょうてん》坐禅と言います。開枕《かいちん》（就寝）の時間が午後九時。睡眠時間は七時間。この規則正しい生活を続けるわけです。

どうして禅僧たちは、そのような生活をするのか。

それは、心身の変化を敏感に感じられるようにするためです。

規則正しい生活をしていると、ちょっとした変化にも気づくことができます。自分を変えたいなら、まず自分の変化に「気づく」ことが大切です。

昨日できなかったことが今日はできるようになっている。昨日と同じ気持ちには今日はなれない。定点観測をすることで、自分をあるがままに見られる。だから、心と体を丁寧にケアし、磨き上げることができるのです。

丁寧な暮らしは、早寝早起きから始まる。

いつも心地よくラクに生きるコツです。

48

「考える」よりも「感じる」

――本当の「生きる力」を養うには

「小さな変化に気づく人」の強み

一昔前の漁師さんたちは、天気予報など必要のないくらい気象をよく知っていたものです。風向きや雲の様子から、ぴたっと天気を当ててしまう。そんな洞察力がなければ、命にかかわってくる仕事です。

また、魚がいる場所なども、海の色や鳥の動きを見ながら、これまでの経験で判断することができました。自らの安全を守るために、そして糧としての魚を捕るために、あらゆる感覚を研ぎ澄ませて工夫をしていたのです。

そんな工夫が実を結んだとき、この上ない喜びを感じたことでしょう。

生きる喜びを味わうためには、常に五感を磨いていくことが大事だと思います。

たとえば、道に落ちている石を拾い、さわったり匂いをかいでみたりする。石にも表と裏があり、それぞれに表情があります。石には匂いなどないと思いがちですが、山の石は山の匂いがするし、海の石は海の匂いがする。そういう身の回りのちょっとしたことに興味をもち、自然の変化を五感で感じてみてください。

ちょっとした変化も見逃さない目を養ってください。

49

「もったいない」という心を忘れない

——たとえば、大根の葉を食べてみる

「禅の心」とは何か

「禅の心」というものを一言で説明するなら、何物も無駄にはしないということです。

たとえば、食事の支度をするにしても、どんな食材も捨てるところはほとんどありません。多くの人は捨ててしまうでしょうが、大根の葉っぱだって、漬物にすればとてもおいしい惣菜になるものです。

また、余ってしまって捨てるなどということも決してしない。もし自分では食べきれないと思ったら、早いうちに誰かに差し上げることにしています。

そういう習慣をもつことで、心は美しく磨かれていくものです。

禅の美とは、シンプルであることの美しさです。余計な飾りをせず、不要なものを徹底的に削ぎ落としたところに美しさがある。建物で言うなら構造的な美しさであり、素材の美しさです。余計な飾りは建物本来がもつ美を損ねてしまう。そういう考え方なのです。

なんでも、素材そのものを大切にするということ。

心も生活もシンプルに磨き上げることです。

50

ひとつの見方にとらわれない

——「正しいこと」だけにこだわらない

「見立て」という考え方

「物を見立てる」「道具を見立てる」という言い方がありますが、この「見立《みた》て」という言葉はもともと「物を本来あるべき姿でなく、別の物として見る」という意味で、茶の湯の精神から来ているものです。

長年使ってきた道具が古くなった。それはもう道具としては用をなさなくなった。しかし、だからといってその道具の命が尽きたわけではありません。その精神を禅では大切にしているのです。そこに新たな使い方を見いだし、再び命を吹き込む。

たとえば石臼《うす》がある。長年使っていれば石が磨耗して粉が挽けなくなる。しかしそこで命が尽きたわけではない。今度はその石を庭に置き、飛び石として使えばいい。飲み口が欠けてしまった湯飲みがあれば、それを今度は一輪挿しとして使えばいい。

物の用途は決してひとつではありません。使う人間の心次第で、いかようにも使い道はある。物をどのように使うか。それが「見立て」という発想です。

「物がある」ことが豊かなのではなく、「物を大切に使う方法を知る」ことが豊か。「正しいこと」だけにとらわれない〝心の目〟を育てましょう。

51

自分の頭で考える

――ときには、常識も疑ってみる

「知識」と「知恵」は似て非なるもの

「知識」と「知恵」。この二つは似て非なるものです。

学校で教わったり、自分で学んだりして記憶にとどめたものが「知識」。

一方の「知恵」とは、「知識」を実際の物事に活かす方法を知ることです。

幸せに生きていくためには、知識も知恵もどちらも大事。どちらかにかたよってもいけない。バランスよく磨いていくことです。

とんちで有名な一休和尚が、難題をいつも鮮やかに解決してみせるのも、この二つを磨いているからこそ。十分な知識をもち、それを臨機応変に使う方法を知ることで、人はしなやかに生きていけるものだと思います。

周りに情報があふれている現代では、自分の頭で考えることをおろそかにしてしまいがちです。ともすると頭のなかが「知識」でいっぱいになってしまう。

でも、自分の生き方は、自分自身で決めるもの。「生き方」のサンプルはたくさん知っていても、「自分がどう生きるか」を決めるのは、知恵あればこそ。

よく見ること。よく感じること。そして、自分の頭で考えることが大切。

52 自分を信じる

——諦めたら、可能性もゼロになる

可能性は、信じる心が生み出すもの

禅の「**本来無一物**《ほんらいむいちもつ》」という言葉。これこそ人間の本質を表わす言葉です。

人は皆、裸で生まれてきます。つまり何ももっていない。まさに無一物。

しかし反対側から見れば、何ももっていないからこそ、無限の可能性を秘めているとも言えるわけです。何もない存在だからこそ、そこには無尽蔵の可能性がある。それが「**無一物中無尽蔵**《むいちもつちゅうむじんぞう》」という言葉の意味です。

どんな人にも、必ず可能性が秘められている。可能性のない人などいない。

要はその可能性をどう引き出すかということです。

今行きづまっている人、あるいは自信をなくしている人。もしもそういう人がいるのなら、もっと自分自身を信じてあげることです。

あなたの能力はまだまだ十分に発揮されてはいない。もっと能力を引き出す努力をすれば、きっと道は開けてくる。あなたのもっている可能性を信じることです。

人生とはすべてがうまくいくものではありません。努力が報われないこともあるでしょう。それでも前を向いて頑張ってみる。前に進むことを恐れないでください。

53

悩むより動く

――そのほうがずっと簡単です

自分で心配の種をつくり出している人へ

私は大学で教鞭をとっているので、よく学生から就職の相談を受けます。「希望する会社にエントリーしても、なかなかいい返事がもらえない」「採用実績を見たら、どうもうちの大学じゃダメみたいだ」。

そう言って諦める学生がとても多い。私は言います。「データなんか気にしないで、とにかく足を運んでごらん」と。

就職活動でも人間関係でも、頭だけで考えていると、「これはできない」「あれも無理」という気持ちがむくむくと成長してしまいます。

でも、いざ自分の体で飛び込んでみると、意外にあっさり達成できたり、具体的な解決策が見つかったりすることは多いもの。バンジージャンプもジェットコースターも、その最中より直前のほうが、ずっと怖いものです。

本当はありもしない心配の種を、自分でつくり出していませんか？

わざわざ自分から心配の迷路に迷い込み、悶々とするなんて、もったいない。

目の前にある現実に目を向け、一歩、歩を進めましょう。

54

しなやかな心をもつ

――苦労は誰のためにするのか

強い心とは、しなやかな心

人に批判されると、すぐに傷ついてしまう。嫌なことがあると、ずっと頭から離れない。そんな傷つきやすい心、弱い心を変えるためにはどうすればいいのでしょうか。

心を強くする方法のひとつが、掃除です。

掃除は、頭も使いますが体も使います。頭で知る苦労も大事ですが、体で知る苦労は、より人の心を強くしてくれるもの。

ある意味、禅の修行というのは、体を使った苦労をしっかりと習得することにあるのかもしれません。朝早く起きて、掃除をする。それも、掃いたり水拭きしたり、寒い時期は誰でもつらい。しかし、掃除が終わり、きれいに整えられた場に身を置いた瞬間の心は清々しい。これは自分で掃除をしなければ実感できません。

苦労と我慢。この二つの言葉を聞いたとたん、しかめっ面をする人もいるでしょう。でも、苦労と我慢をするのは誰のためかと言えば、それは自分自身のため。

頭と心と体すべてで苦労を知ると、人は必ず強くなります。どんな状況でもしなやかな生き方ができるようになるのです。

55

体を動かす

――「地に足がついた人」になる

体を動かしてはじめてわかることがある

「冷暖自知《れいだんじち》」という禅語があります。たとえば水の冷たさや温かさは、口でいくら説明してみても、さわってみて体験しないことにはわからない。身をもって体験することの大切さを説く言葉です。

新潟出身のタレント、大桃美代子さんは、たまたま帰郷しているときに、あの中越地震に見舞われ、変わり果てた故郷を眺めながら、自分に何ができるのか考えたそうです。そして、もともと農家の出身である彼女は、自ら二反分の土地を借りて米づくりを始めました。東京での仕事をこなしながら、週末には必ず新潟に戻って畑仕事をする。草取りから収穫まで、すべて自分が土まみれになりながらの作業。

あるラジオ番組で大桃さんは、「こんなにおいしいお米を食べたことはなかった。お米の一粒一粒がまるで観音様のように見えました」と語っていました。

彼女は、自ら苦労して育て、収穫したからこそ、そのお米のありがたさを実感したのです。文字通り「地に足がついた人」。

頭だけで考えず、体を動かしてはじめてわかることもあるのです。

56

時を待つ

——物事が思い通りにならないとき

日本人の「マイペースの心」

私たち日本人は、言うまでもなく農耕民族です。土を耕し、自然の恵みを受けながら生きてきました。

農耕民族は、言うなれば森の文化です。砂漠の文化とは違い、森のなかには豊かな食料があります。大木に花が咲き、やがては実をつける。森の民たちは、その実が落ちてくるのを大木の下で待っている。いつ落ちてくるかわからないから、じっくりと座って待っている。これが座の文化です。

落ちてきた実を食べたあとは、その種を土に蒔く。そうするとまた芽が出てくるので、他人の実を奪うこともない。つまりは争いが起こらないのです。

穏やかで、互いに助け合い、時を待つ心を、本来日本人はもっているのです。じっくりと自然を観察する。自然の声に耳を澄ませ、自然と自分とを同化させていく。そのなかから深い思索が生まれ、今やるべきことが見えてくる。

仕事や人間関係がうまくいかないとき、解決策を求めて躍起になるのも一案。そして、ときにはタイミングを待つのも一案です。

57

物との縁を大切にする

――「もたない贅沢」を知る

物を大切にするのは、自分自身を大切にすること

すでにパソコンをもっているのに、新製品が出るとつい欲しくなってしまう。まだ三年しか乗っていない車も、新車が出れば買い換えたくなる。欲が欲を呼んで、果てしなく物欲に心が支配されていく。それは決して幸福な状態とは言えません。

今、自分のところにある物。それを大切に思う気持ちをもつことです。その物が自分のところにあるということは、きっと縁があってのこと。それを大切に扱い、自分にとっては最高の物であるという思いをもつことです。

車が欲しいから一生懸命に努力をしてお金を貯める。それは悪いことではありません。ただ、一度手に入れた物に愛着をもつことが大切なのです。

縁あって自分のところに来た物は、自分と一体だと思ってください。自分自身を大事にしない人はどこにもおりませんから、一度手に入れた物を大事に扱うようになり、愛着も湧いてくるものです。大切なのは、物に対する思いです。

何年、何十年と同じ物を使う。共に過ごすその時間をいとおしく感じること。人間と物との間にも縁があることを知ってください。

58

ただ静かに座ってみる

——自分を見つめる時間をもつ

庭を前にすると、無意識に座りたくなる理由

京都や奈良のお寺に行く。そこには数百年も続く庭の風景があります。その庭を前にしたとき、私たちは無意識のうちに座っているものです。

立ちながら眺めたり、歩きながら眺めたりもできるのに、なぜだか座りたくなる。日本人は、座することで観察をし、思索をするものだからです。

何を考えるかは人によって違いますが、ある人は庭と対峙してその庭のことを考えるでしょう。その行為は、数百年という時間の隔たりを越えて、庭を設えた過去の人たちと静かに会話を楽しむことでもあるのです。

そのゆったりとした時間の流れのなかに、自らの存在を見いだそうとする。日常の自分自身の姿を見つめなおす時間でもあります。

こういう時間をもつことがとても大切です。わざわざ京都や奈良まで出かけなくても、近所のお寺や公園でかまいません。

座して自然と対話をしてください。

59

頭のなかを空っぽにしてみる

――「生かされている自分」を意識する

「足す」のではなく「減らす」効用

頭のなかを空っぽにして、心を無の状態にする。そういう状態を禅の世界では**「非《ひ》思量《しりょう》になる」**と言います。物事を自分のなかにとどめない状態を指す言葉です。

頭を空っぽにして空を見上げてみてください。そこには移りゆく雲の姿が見えるでしょう。心を無にして耳を傾けてみてください。あなたの周りには自然が織りなす音がたくさんあります。小鳥たちがさえずる声。風が落ち葉を舞い上げる音。

都会の真ん中にいても、自然が生み出す音や風景はたくさんあります。その自然を精一杯感じ取ってください。すると、自分も自然の一部であることに気がつきます。

たとえば、見上げた空に浮かぶ雲から降ってくる雨は、川に流れ、あるいは地下水となり、やがては私たちがいただく飲み水となる。自然のなかに生かされていることを実感する瞬間です。

忙しいときほど、頭を空っぽにする時間をもってください。

ほんの数分でも、禅の「非思量」を実践してみると、驚くほど心が落ちつき、体の底から大きな力が湧いてくるのを実感できるでしょう。

60

「禅の庭」を楽しむ

――庭に込められた「禅の心」を感じる

禅の庭には「癒しの力」がある

古都を訪れると、禅寺の庭を鑑賞する機会があるでしょう。

基本的には禅宗寺院にある庭園はすべて「禅の庭」と言うことができます。

しかしもう一歩踏み込めば、それらがすべて「禅の庭」と呼べないこともあります。

なぜか。たとえば「禅画」というものがある。

有名な日本画家が墨絵で達磨の絵を描いたとしましょう。それが絵としていくらみごとなものであっても、それは「禅画」とは呼びません。

禅の庭や絵というのは、決まった形式を指して言うのではないのです。それらはあくまでも、作者自身が会得した禅の境地を表現したもの。

自身が修行を積み、禅の境地にたどりついた。その心象風景が表現されている「禅の庭」には独特の美しさがあります。心を癒してくれるのびやかさがあります。

ただその表面上の美しさだけを見るのではなく、そこに込められている禅の心を感じてください。庭と一体となった自分を感じると、過ぎゆく時間すら忘れてしまうこともあります。庭に込められた心を味わったとき、さらに心が癒されるものです。

第3章

【迷い・悩みに「答え」をくれる20項】
人との「関わり方」を変えてみる

61

人に尽くす

――自分が心地よく生きる出発点

悩みはどこから生まれるのか

欲にとらわれず、何事にも執着せず、一点の曇りもない状態。それが「無」の状態であり、禅ではこれを最も重視しています。

この「空の思想」のベースにあるのは、お釈迦様の根本的な教えである「無常無我」。人間の苦しみは、この「無常無我」を自覚しないところにあると説いています。

つまり、この世の物事が常に変わらないものだと考えるところから、迷いや苦しみは始まる。自分や自分がもっている物、あるいは自分を取り巻く人はすべて変わることはないと考える。また、変わらないことを無意識のうちに期待していたりもする。

だからこそ、その期待が裏切られたときに、人は悩み苦しむというわけです。

すべての物事は互いに影響し合っています。

たとえば自分が幸せになりたいと思うなら、周りの人たちも幸せでなければなりません。そのために他人に尽くすことが、自らの幸福につながっていくのです。

自分の考えに固執しない。執着しない。そして、人の幸せのために尽くす。

この考えを心にとどめておくことで、ずっと心地よく生きられるのです。

62

「三毒」を捨てる

——暮らしのなかに「禅の心」を

欲張らない、イライラしない、物事の道理を知る

仏教には「三毒《さんどく》」というものがあります。物理的に飲んだりする毒ではなく、欲望や煩悩を毒にたとえた教えです。

「三毒」とは、**「貪《とん》・瞋《じん》・癡《ち》」**の三つ。

まず「貪」とは貪《むさぼ》りの心です。何でも欲しがり、ひとつを手に入れてもなお欲望が尽きない心。「瞋」というのは怒りの感情を言います。ちょっとしたことで怒りを覚え、それを表に出したり、誰かにぶつけたりすることです。そして三つ目の「癡」とはおろかさのこと。常識や道徳を知らず、教養が欠けている状態です。

この「三毒」に支配されている限り、人間は安寧《あんねい》な生活を営むことはできません。逆に言えば、この三つの煩悩を捨てることができれば、自由で幸せな生き方ができるという教えです。

この「三毒」がちょっと顔を出したときは、呼吸を整え心を落ちつかせてみてください。そうすると三毒は頭までのぼってきません。

63

「おかげさま」の気持ちをもつ

――何気なく口にしている言葉の深い意味

たった一言に、温かい心がつまっている

「いかがお過ごしですか」と聞かれる。「おかげさまで、なんとかやってます」と答える。

どこにでもある光景ですが、日本人らしい、美しいやりとりだと思います。

当たり前ですが、人はひとりで生きているわけではありません。誰かに支えられながら、皆のおかげで生きている。当たり前のことだからこそ、忘れがち。忘れがちだからこそ、その心を言葉で伝えたいものです。

「おはようございます」というのは、「今日もお早いですね。お互いに一日無事で、頑張っていきましょうね」という気持ちが込められたあいさつです。

「いただきます」というのは、食べる物に対する感謝の気持ち。そして、その食べ物を育ててくれた人に対する感謝です。魚にせよ野菜にせよ、それは命あるものです。私たちはそれらの命をいただくことで生きていくことができる。なんともありがたいこと。「いただきます」という一言には、そんな思いがつまっています。

暮らしに溶け込んだ言葉には、私たちの温かい心もまた、溶け込んでいるのです。

64

理屈を押しつけない

――あなたの本音を伝える方法

「門の前の打ち水」に心を感じる

言葉で言うこともなく、理屈を押しつけることもなく、さり気なく相手に気持ちを伝える。本音が伝わるのは、言葉よりも行動だったりします。

夏の暑い日にお客様が訪ねてみえる。そろそろ着く頃合いを見はからって、門の前に打ち水をする。玄関を清め、お客様をもてなす気持ちで水を打つ。その乾ききらない水を見て、客人は「ああ、私を待っていてくれたんだな」と思う。水滴が残っている生け花を見て「歓迎してくれているんだな」と感じる。

決して押しつけがましくない、楚々としたもてなしの心。日本人ならではの美しい心が感じられます。

物事の道理も、自分の本音も、ただ主張するだけが知恵ではありません。「あうんの呼吸」とか「以心伝心」とか言うように、日本人にはもともと、素晴らしい〝超能力〟があります。

呼吸するかのごとく、相手に伝えていく。この心根を忘れずに。

65

言葉でなく、心を伝える

——「目に見えるもの」がすべてではない

なぜ、禅画は墨で描かれるのか

禅の思想として「不立《ふりゅう》文字《もんじ》、教《きょう》外《げ》別伝《べつでん》」というものがあります。

これは、真の教えは文字や言葉では表現できないところにある。本当に大事なことは言葉にはできないということを意味します。

この精神は、たとえば禅画にも踏襲されています。

禅画には色彩がありません。ただ墨の一色のみ。それはなぜかと言えば、本当の美しさは色彩では表現することができないという考え方があるからです。色をもって伝えきれない美を伝える。そのために、あえて色を使わない。

夕焼けの美しさは、見る人によって感じ方が違います。一口に「茜色《あかね》」と言っても、どんな茜色と感じるかは一人ひとり違う。ならばいっそ墨で描けば、見る人が自分なりの茜色をその画のなかに見いだすことができる。

だから禅画は「墨の色に五彩あり」と表現されるわけです。

そこには無限大の色の広がりがある。見る人の心持ちによって、墨の色は幾重にも広がっていく。「目に見えるもの」がすべてではないのです。

66

相手の長所に目を向ける

――相手の欠点が目につくときほど

庭も人間関係も「調和」が大事

日本庭園というものは、素材そのものを切ったりはったりするのでなく、あくまでも「この石の形」「この樹木の傾き」といった素材の特徴を活かしながら全体を構成していくものです。

では、「素材を活かす」とはどういうことなのか。

たとえば庭にいくつかの樹木を植えるとします。それらはただ植えればよいというのではなく、それぞれの木々の一番よい形を見いだしてあげることが大事です。

この一本の木はどういう雰囲気をもっているのか。この木が最も見栄えよくなるには、どの位置にどのような向きで植えてあげればいいのか。

つまりは一本一本の木の個性をしっかりと見つめ、それを十分に引き出してあげること。「木心を汲む」ことで美しい調和が生まれるのです。

人と人との関係も同じではないでしょうか。

自分の個性も相手の個性も、まるごと認めて一緒に過ごす。決して相手に合わせるのではないけれど、相手の長所に目を向けることで、豊かな関係が生まれるものです。

67

ひとりの人と深くつき合う

——「一期一会」の本当の意味

ひとつの出会いに集中して――

最近の世の中は、上辺だけの人間関係に目が向いているような気がします。つき合いは広いほうがいい。人脈が大事。もちろん、仕事の世界ではそういう価値観もあるでしょう。

でも、プライベートなことに関して言えば、知り合いなんて少なくてもかまわない。そもそも、心の底から信頼し合える人間なんて、そんなに多くいるはずはないのです。百人との浅い関係より、たったひとりとの深い関係を築くほうが豊か。私はそう思います。

禅語に由来する**「一期《いちご》一会《いちえ》」**という言葉。今のこの出会いは、二度と巡ってこない貴重な縁。一生に一度のこの素晴らしい出会いの機会を大切にしましょうということです。

これは、出会いの数を増やそうとか、友達を多くもとうという意味ではありません。ひとつの出会いに集中して、心から信頼し合える関係を築く。その思いの深さ、関係の深さのことを言っているのではないでしょうか。

68

タイミングをよくする

――人間関係でも、これは同じ

急ぎすぎても、のんびりしすぎてもいけない

「啐啄同時《そったくどうじ》」という言葉があります。

雛が卵から孵《かえ》ろうとするとき、なかから合図のように殻を吸ったりつついたりします。この状態が「啐」です。

一方で親のほうはその合図を聞きながら、外側から殻をつついてやる。これが「啄」です。

これはとてもデリケートな作業で、雛の体ができ上がっていないうちに親が殻を割ってしまうと、雛は死んでしまう。雛が殻をつつく音をしっかりと聞きながら、よしもう大丈夫だと思ったところで、丁寧に外側から殻を割ってあげる。

つまり「啐啄同時」とは、両者にとって絶好のタイミングのことを言うのです。

これは、子育てはもちろん、上司と部下といった師弟関係にも通じることです。

相手を育て上げるときは、急ぎすぎてもいけないし、のんびりしすぎてもいけない。育ててもらうほうは、それなりの合図を相手に送る必要がある。

二人のタイミングが合ったとき、最良の結果が生まれるものです。

69

皆に好かれる必要はない

――修行僧でさえ、そうなのですから

とらわれない、かたよらない、こだわらない

人と人との関係というのは、やっかいなものです。万人に対して心を開くことなど、いくら努力しても困難ですし、禅寺で修行をしていても、すべての僧侶たちが仲よくなるとは限らない。

「この人とはうまくやっていこう」「この人とは仲よくなろう」。

そんなことを考える必要はありません。うまくやることに執着し、仲よくしなければと自分を縛ってしまう。嫌われたくないという気持ちばかりが先走ってしまう。だから、人間関係のストレスが生じてくるのです。

とらわれない、かたよらない、こだわらない。つまらない執着を断ち切って、悠々と生きませんか。あえて嫌われる必要はないけれど、同じようにあえて好かれなくてもかまわない。そんな気持ちをもつことです。

花が咲けば自然に蝶々がやってくる。木々に葉がつけば、放っておいても鳥たちがやってくる。そして枯れれば再び離れていく。

人との関係も、それと同じようなものではないでしょうか。

70

無理に白黒つけない

――「折り合いをつける」ってこういうこと

「白か黒か」にこだわると、「灰色」の美しさを忘れる

仏教というのは、大変寛容なものです。

白か黒かで考えない。白もあれば黒もある。もちろん灰色だってあるし、そのグラデーションも一色ではない。そんな大らかな心が根本にあります。

そもそも、日本の仏教というのは、その成り立ちからして大らかです。

太古から日本には神道があり、あるとき中国から仏教が入ってきた。そこで日本人は「神道か仏教か」と争うのでなく、なんとか共存できないものかと考えた。

「本地垂迹説《ほんちすいじやくせつ》」というものがあります。神道と仏教を共存させるために、神様と仏様の中間みたいなものをつくってしまったという話。それがあちこちの神社に祭られている権現《ごんげん》で、その正体は仏様の化身で神様の姿になったというものです。

なんとも適当と言えば適当ですが、これこそが日本人の知恵だと思います。互いにうまく折り合いをつけ、争いごとを避けながら共存していく。

物事には白黒つけられないこともあります。

ならば無理してはっきりさせるのでなく、中庸でいいじゃないですか。

71

「あるがまま」を見る

――憎しみも親しみも、その正体は同じ

好き嫌いで悩まない一番の方法

「部下のせいで」とか「あの上司さえいなければ」とか、とかく人間関係は悩ましい。最初からつき合わなければいいのだけれど、仕事などではそうもいきません。

人間関係の悩み。これは、永遠のテーマと言えるでしょう。

「禅の庭の父」と称される夢《む》窓《そう》国師は、次のように述べています。

「便《すなわ》ち見る物、否を終へずして、悪事転じて善事と成り、法定相なし。逆縁却って順縁と為ることを。此れ其の禍《か》福《ふく》同源《どうげん》、冤親一体《おんしんいったい》の所以《ゆえん》なるものなり」。これまでは憎しみをもってきた敵を手厚く供養し、自らの行ないを懺悔することにより、逆縁が順縁に転じるという意味です。

つまり、災いも福も、その源は同じところから来ているもの。憎しみも親しみも、実はまったく同一のものであるということなのです。

では、その正体は何か。ずばり「あなたの心」です。好きか嫌いかは、全部自分の心が決めている。**「悟無好悪」**（さとればこうおなし）。あるがままを見られるようになったら、好きも嫌いもなくなりますよ。

72

上手に距離を置く

——「聞き流す」のも仏様の知恵

「八風吹けども動ぜず」

言葉というのは大切なものです。

でも、それ以上に大切なのは、言葉に振り回されないということです。

仕事や人づき合いでは、ときにグサリと胸に突き刺さる言葉が投げかけられます。相手は励まそうとしていても、受け取る側にとっては酷《むご》い言葉に聞こえることもある。同僚のたった一言が、心にトゲのように刺さってしまうこともある。

でも、そんなネガティブな言葉は、早く忘れてしまうこと。そして、上手に「聞き流す」術を身につけることです。

「禅の心」とは、「八風《はっぷう》吹けども動ぜず」の心。どんな場合でも微動だにせず、むしろ悠然と楽しんでしまう心です。

物事に執着しない。言葉にも執着しない。人間関係がうまくいかないときも、その関係に執着しないで、少し距離を置いてみる。

それが仏様の知恵なのです。

「自由に生きる」というのは、そんな「とらわれない心」をもつことです。

73

損得を考えない

――「苦手意識」はどこから生まれるのか

ウマが合う人、合わない人

どうしても苦手意識をもってしまう。相手に悪気はないのに、その人の言葉や行動が無性に気に障る。周りにそんな人がいるかもしれません。

なぜ、そのような「苦手意識」をもつ人がいるのでしょうか。

禅の考え方で**「意識」**とはどういうものなのかを少し説明しましょう。

たとえば初対面の人を見て、「ああ、感じがよさそうな人だな」「自分と気が合いそうな人だな」と感じる。これが「意識」の「意」の部分です。

では「識」とは何か。それは、相手を分別することです。「この人は自分の仕事の役に立つかもしれないな」とか「この人と一緒にいても何の得にもならないだろう」と、自分のなかで勝手に分別してしまう。分別してしまうからこそ、苦手意識が生まれるのです。

百人の人間がいれば百通りの考え方や価値観があるのは当たり前のこと。役に立つか立たないかという「損得感情」で分けるのでなく、ウマが合うか合わないかくらいの「感覚」にとどめておく。そうすれば、人間関係の悩みはぐんと軽くなるものです。

74

言葉だけにとらわれない

――「気持ちを察する」大切さ

相手の言葉に「心」を寄せるということ

人の気持ちというものは、言葉では言いつくせないことがあるものです。あるいは的確な言葉を探せない人もいるでしょう。

だからこそ、人間には相手の「気持ちを察する」という能力が与えられているのです。

「拈華微笑《ねんげみしょう》」という禅語があります。お釈迦様がたくさんの弟子たちを前に、法座を行なった。でも、お釈迦様は言葉を一言も発せず、ただ一輪の花を拈《ひね》って微笑むだけ。呆然とする弟子たちのなかで、ただひとり摩訶迦葉《まかかしょう》尊者だけがにっこりと笑った。彼は、お釈迦様が何も語らずとも、その教えを理解することができた。そして彼は跡継ぎに指名されたのです。

もちろん、言葉を尽くして気持ちを伝えようとすることは大事です。そして、相手の言葉も真剣に受けとめなければいけない。

でも、言葉だけにとらわれていては、一番重要なことを見失ってしまうこともある。

相手の言葉を耳で聞くのではなく、相手の言葉に心を寄せてあげることです。

75

人の意見に振り回されない

――「迷いのもと」を断ち切るコツ

決断力とは、自分を強く信じる力

禅寺の庭園は、石組を中心として、限りなく単純化、象徴化、抽象化していくことで形づくられていきます。言葉を変えれば、作庭を行なう禅僧自らが修行によって会得した「境地」を、庭に置き換えていく作業と言えるでしょう。だからこそ、禅の庭には清々しくキリリとした緊張感が漂います。

しかし、実際の作業は、当然のことながらひとりでできるものではありません。大きな石や樹木を運搬しなければならない。たくさんの道具も必要になってくる。まさにチームワークを要する作業なのです。

完成までには、人の手を借りる必要がある。

しかし、私の経験から言えば、あまりにチームに目を向けすぎると、自分が考える庭園を表現しにくくなる。

石の向きを調整する作業などは、逆に少人数のほうが呼吸が合うものです。

そして最終的に微調整をするときは、自分ひとりになったほうがいい。

「決断力」というのは、自分を強く信じる力なのです。

76

信念をもつ

――人生の大先輩の知恵を借りる

お年寄りの話のなかに「生きるヒント」を見つける

これだけは絶対に譲れない――生き方の芯とか、信念とかいったものをもつ人は、多少のことではへこたれません。

では、人生の芯をいかにつくっていくか。

それは、人生の先輩たちから学んでいくものです。

特に人生の大先輩であるお年寄りからは、学ぶべきことがとても多い。成功した話であれ失敗した話であれ、それに耳を傾けることは必ず自分の栄養になります。

ちょっと注意して周りを見回せば、たくさんのお年寄りがいるでしょう。一人ひとりに、それぞれの人生がある。自分がこれまでの人生で学んできたことの何倍、何十倍の経験と学びを、その一人ひとりがもっているのです。これは、すごいことだと思いませんか。

お年寄りの話は、自ら経験してきた物事を語っているから尊いのです。本の知識でもなく、誰かに聞いたわけでもない、自らの心と体で経験した話。ノンフィクションの話のなかに、必ず生きるヒントが見つかるでしょう。

77

庭と会話する

――「形」にとらわれていては見えないこと

「わび・さび」って、こういうことです

禅僧が山に入って修行をしている。里から遠く離れた山奥でひとり修行をしているところへ、客人が訪ねてきてくれる。

「こんな山奥の何もないところへお招きしてしまい、本当に申し訳ありません」。客人に対してそう詫《わ》びる。これが**「わび」**の語源なのです。

そして「さび」とは、「こんな里から離れた寂しいところに、よく来てくださった」。この「寂しい」場所というのが**「さび」**の語源です。

つまり**「わび・さび」**の精神とは、相手に対する思いやりの心を表わすもの。「禅の庭」には、こんな気持ちが込められています。

「禅の庭」をつくるとき、最初に考えるのは、石の配置を決めるとか砂の模様を決めるとか、そういうことではありません。具体的な「形」ではなく、その庭に込めたい「思い」が、まずあるのです。

作り手の詫びる気持ちを感じ、その心に応える。そんな気持ちで庭と会話してみてはいかがでしょうか。

78

人を喜ばせる

――たとえば、食卓でのひと工夫

日本人のもてなし――食卓に「時間の流れ」を演出する

客人に料理をふるまう。西洋であれば、おそらくは豪華な料理を並べるでしょう。高級な食材や手に入りにくい料理を揃える。それが西洋のごちそうです。

一方、和のもてなしは、ちょっと違う。日本人にとっての最高のもてなしとは、「旬を意識した料理」を揃えることにあるのです。

料理の主となるのは、その時期のまさに旬のもの。そのメインにつけ加えるものが二つあります。

ひとつは、旬を少し過ぎたもの。旬の名残《なごり》を感じさせる料理です。

そしてもう一品は、旬の走りの食材を使った料理。まだ旬ではないけれど、そろそろ出はじめてきたものです。

つまりは名残のあるものと、今まさに旬のものと、旬の走りのものの三品。過去と現在と未来という時間の流れを演出し、客人を楽しませるわけです。

最高のもてなしといっても、必ずしも高級なものである必要はない。料理をつくるのでも、プレゼントを贈るのでも、相手を喜ばせる「ひと工夫」をしてみませんか。

79

家族が集まる日をつくる

――あるがままの自分を出せる場所

「本当に大事なもの」に気づく場所

家族の存在とは、いったい何なのでしょう。

結婚して子どもを産み育て、共に暮らす家を守っていく——でもこれは、単なる「形」でしかありません。

その家のなかに、真の安らぎがあってこそ、心の拠り所としての意味があるのです。無理をすることなく、見栄を張ることなく、あるがままの自分でいること。それが禅の目指す生き方とも言えます。これは簡単なようで、実はとても難しいこと。人間は誰しも自分を大きく見せたいし、弱みなどは隠しておきたいものです。

しかし、そんな生き方はいつか無理がきてしまう。だからこそ、自分をさらけ出せる家族の存在が必要なのです。

普段は離れて住んでいる家族にも、お盆やお正月などの機会に帰って顔を見せ、ゆっくりと語らう時間をもってください。

あるがままの自分を出せる場所。その場、その時間が疲れた心を癒し、新しいエネルギーを生んでくれるのです。

80

お年寄りの話を聞く

——「今、ここにいること」の奇跡に気づく

ご先祖がひとり欠ければ自分は存在しない

かつての日本は大家族でした。おじいさん、おばあさんがいて、両親がいて、そして子どもたちがいる。三世代、四世代が共に生活することで歴史が受け継がれていたのです。

たとえば八十歳のおじいさんが、自分の祖父の話を五歳の孫に聞かせるとします。そうすると孫にとっては、二百年も前の話を聞くことになる。「そうか、自分のご先祖にはそういう人がいたんだ」と思う。これこそが歴史を紡ぐということなのです。

ご先祖がいてくれたからこそ、今の自分が存在できている。自分の代から十代遡れば千二十四人の先祖がいると言います。二十代遡れば百万人の先祖がいる。三十代遡ればその数は十億を越える。そのなかで誰かひとりが欠けたら、自分は生まれてこなかったのです。

そう考えたときに、ご先祖に対する感謝の念が湧いてくるはずです。ここに自分が存在していることは、まさに奇跡みたいなもの。その奇跡に気づいたとき、私たちは命の尊さが身にしみてわかるのです。

第4章

【どんな日も「最高の一日」にする20項】

「今」「この瞬間」を変えてみる

81

「今」を生きる

——一瞬前の自分は「過去の自分」

「過去」より「今」に目を向ける

人間は「今」「この瞬間」のみを生きている。だから、「この一瞬」を生きることのみに心を尽くす。それが禅の考え方です。

「三世《さんぜ》に生きる」という言葉があります。三世とは過去・現在・未来のこと。仏教でよく耳にする阿弥陀《あみだ》・釈迦《しやか》・弥勒《みろく》というのは、この三世をそれぞれに象徴する仏様のことです。

これはどういう考え方かというと、たとえば一回呼吸をします。息を吸って、吐く。確かに吸っている瞬間は現在ですが、その息を吐いてしまえば、それはすでに過去になってしまっている。わかりやすく言えば、この本の前のページを読んでいたときは、もうすでに過去のあなた。そして次のページは未来のあなたということです。

嫌なことがあって落ち込んでいる自分も、目の前でパンッと手をたたいてみれば、その次の瞬間は、元気でやる気に満ちた自分に生まれ変わっている。映画のシーンがパッと切り替わるように、まったく違う自分になっている。

大切なのは今日という「この日」「この時間」「この瞬間」です。

82

平凡な一日にこそ、感謝する

――「当たり前なこと」の幸せ

「親死に、子死に、孫死ぬ」――これが一番の幸せ

とんちで有名な一休和尚が、ある商人の孫ができたお祝いに「何かめでたいことを書いてくれ」と頼まれました。そこで、一筆。「**親死に、子死に、孫死ぬ**」。それを見た商人はけげんな顔をしたそうです。どうしてそんな縁起でもないことを書いたのか。商人は一休に訴えました。

一休は言いました。

「親が先に死に、次に子どもが死に、そして最後に孫が年老いて死ぬ。それが本来の順番だ。そしてこの順番通りに死を迎えられることこそが、その家にとって一番幸せなことなんだ」と。まさにその通りだと皆が感心したそうな。

親、子、孫が順番通りに死を迎えられること。

今日も何もなく平凡な一日を過ごせること。

呼吸をして、仕事をして、眠ることができること。

一見平凡で、当たり前のことこそ、実は何よりすごいことだったりするのです。

ただ淡々と毎日を過ごせることの幸せ。幸せは、すぐ近くにある。

83

「守られている」ことを意識する

——私たちは仏様の手の上にいる

だから、勇気をもって前に進みなさい

仏教の考えでは、人は皆、仏様の手の上にいるとされています。いくらあがいたところで、所詮は掌《たなごころ》のなかで泳がされているだけ。

そう言うと、諦めのように聞こえるかもしれませんが、むしろ逆です。思い通りにいかないことがあっても、情けない自分でも、結局は仏様の手の上で守られている。だから、勇気をもって前に進みなさい、ということです。

人は皆、ひとりで生きています。確かにひとりなのですが、あなたが生きる姿は全部、仏様が見てくれている。そう思えば、元気が湧いてきませんか。いいところも、ダメなところも、仏様は見ていてくれる。そう信じて前を向くことです。

無条件で自分を守ってくれる存在があるというのは、どんなときでも心強いものです。それが目に見えないものであっても、その存在を強く信じることで、心の底からじわじわと大きな力が湧いてくる。人というのは、そういう生き物だと思います。

自分との約束だけではこころもとないから、仏様との約束を交わす。そうすれば、信じる力は何十倍にもなるのです。

84

前向きに受けとめる

――幸せかどうかは、あなたの「心」が決めるもの

せっかく今日も生きているのだから！

鎌倉時代や室町時代のはじめ、いわゆる争いが始終行なわれていた時代。この時代に、禅の精神は武士たちの間で広く支持されるようになりました。

武士は皆、常に死と向き合っていた。いつ戦いが始まるかもわからない。もしかしたら明日には我が身にそれが降りかかってくるかもしれない。

そんな状況で、禅の精神がぴったりと当てはまったのでしょう。明日をも知れぬ命だからこそ、今このときを一生懸命に生きよう。この瞬間を精一杯、楽しもうと。

「日々是好日《にちにちこれこうじつ》」――嬉しいことがあった日も、嫌なことがあった日も、それは二度とくり返すことのない大切な一日であるという意味です。その日を「好日」にするのは、起こる出来事でも、出会う誰かでもない、自分自身の心なのです。

たとえ同じことが起きていても、それを受けとめる心次第で、まったくイメージは変わってきます。起きてしまった出来事は変えることができないけれど、それをどうとらえるかは、全部自分で決めることができる。

せっかくなら、今日一日を「好日」として締めくくりたいものです。

85

欲張らない

――「もっと欲しい」と思うから苦しくなる

「それは、本当に必要なものですか?」

仏教に**「知足《ちそく》」**という言葉があります。足るを知る——今あるものに満足する気持ちのことです。

人間の欲望は果てしないもの。一を手に入れれば十が欲しくなる。十を手にすれば百を求めるようになる。不必要なものだとわかっていても、欲しいという気持ちを抑えることができない。この渦にのみ込まれたら、満足感を味わうことはできません。

必要なものは手に入れたいと思うでしょう。それは決して醜い欲望ではありません。ただし、必要最低限のものを手にしたときには、「ああ、これで私は十分だ」と思うことです。

そしてそれ以上の不要なものは求めない。

これが「知足」という考え方で、そこにこそ穏やかで平和な心が宿っています。ただ自分が満たされていると思うことで、苦しみは少なくなるのです。

今あなたが不満の渦のなかにいるのなら、もう一度考えてみることです。あなたが望んでいることや欲しているもの。それは、本当に必要なものですか。

86

物事を「善悪」で分けない

――悩みがすーっと消える

呼吸するのに好きも嫌いもありません

ひとつの道を究《きわ》めるというのは、特殊なことでもドラマチックなものでもありません。毎日同じことをくり返す。地味で地道なことを当たり前に続けていく。そんなくり返しを経て、あるときふと気づくのです。「ああ、これが私が探していた答えだったんだなあ」と。

高名な僧侶だって、自分の宝物に気づくために修行を重ねています。オリンピック選手だって、ひたすら泳いだり、走ったり、練習を重ねています。

そうして、あるとき道を究める。そういうものです。

着地点ばかりに気を取られていると、道程がおろそかになります。結果を出すことにとらわれていては、「今」「この瞬間」に全力を出せない。

「善《ぜん》をも思わず、悪《あく》をも思わず」――今、やっていることを善悪で判断しない。呼吸することを「いい」とか「悪い」で分けないのと同じです。

呼吸をするように、当たり前のことを当たり前にやっていく。

物事に善悪をつけようとするから、悩みやストレスが生まれるのですよ。

87

事実は事実として受けとめる

——覚悟のすすめ

「諦める」のでなく「覚悟を決める」

以前、横浜市の總持寺の貫主をつとめられていた板橋興宗《こうしゅう》禅師。私が尊敬してやまない方です。

板橋禅師はガンの告知を受けられました。ガンはかなり進んでいるようです。それでも板橋禅師は何事もなかったかのように、毎日の坐禅と托鉢に励んでいらっしゃいます。「今ではガンと一緒に生活するのを楽しんでいますよ」と禅師は言うのです。

これはなかなか言えることではありません。

ガンであるという事実は変えることができない。「ガンは嫌だ」とあがいてみたところで、ガンがなくなるわけではない。事実は事実なのです。

では、それにどう向き合うか。現実に起こっていることは変えられませんが、向き合い方を決めるのは自分です。

覚悟を決めるということ。それは、事実を事実として受けとめること。

あるがままを見る。あるがままに受けとめる。

それは、諦めとは似て非なるものです。

88

「答え」はひとつではない

——問い続けることに意味がある

なぜ、禅問答をするのか

「本来本法性《ほんらいほんぽつしょう》、天然自性《てんねんじしょう》身《しん》」――釈迦の悟りの根本を表わす言葉です。

私たちの「本来の自己」というものは一点の曇りもない清浄無垢なものである。その本来の自己を探すことが「悟り」なのです。

人間はもともとすべてを、すでに自分のなかにもっています。答えは外に求めるのでなく、自分の内に求めるもの。自分のなかにある、純粋無垢な自己に出会うのが「悟り」です。

その悟りを開くために、臨済禅《りんざいぜん》では徹底的な問答をします。それは「公案」と言って、言葉でどんどん追い詰めていくもの。いわゆる禅問答です。

たとえば「狗子仏性《くしぶっしょう》、有りや、無しや」と問われる。「狗子」というのは犬のこと。つまり「犬に仏心があるのかないのか」という問いかけです。

「ある」と答えても違うと言われ、「ない」と答えてもそれは違うと言われる。

答えのない問いかけを続けること。それをくり返すことで、「気づき」が生まれるのです。

89

「方法」もひとつではない

――頭で考えるか、体で考えるか

たとえ同じ答えに行きつくとしても

臨済禅の修行は、問答をくり返しながら悟りへと行きつく。

それに対して、曹洞禅《そうとう》の修行とは、ただ坐るのみです。「只管打坐《しかんたざ》」とは中国の俗語からきた言葉で、ひたすらに坐ることを意味します。坐っていることさえ忘れて、心を無の状態にする。悟りを開きたいとか、意志を強くしたいとか、あるいは健康になりたいとか、そういうことは一切考えない。何も求めず、ただ坐るというのが曹洞禅なのです。

ひたすら坐禅を組むことで、知恵も磨かれていく。そうして、やがては悟りに近づくことになる。悟りを開くことを目的として坐るのでなく、坐した結果として悟りを開くことになるわけです。

乱れない心、迷わない心をもって本来の自己と出会うこと。臨済禅も曹洞禅も、本来の目的は同じです。ただそこへ行きつくまでの方法論が違うだけ。

頭で考えつくすか、体で考えつくすか。

あなたは、どちらのタイプですか。

90

ひけらかさない

――魅力的な人の共通点

黙っていても伝わるのが「本当の魅力」

自然と周りに人がたくさん集まってくる。そういう魅力をもった人がいるものです。オーラとでも言うのでしょうか。

以前、坐禅会で「姿より香りに生きる」という話をしました。

寒い冬を乗り越えて梅の花が咲き、なんとも言えないよい香りを漂わせています。花の香りは風に逆らっては進みません。ただ風の流れにまかせて香りを運んでいます。しかし、徳のある人々の香りは、すべての方向に香るもの。

人間の魅力やオーラというものは、不思議なことにあらゆる方向に向かって香りを放つものなのです。

人はとかく、裕福になったり、高い地位に就いたりすると、そのことを自慢したくなるようです。でも、黙っていても本当の魅力は自然と伝わるもの。

「あの人のおかげで」と感謝されるような生き方、「あなたでなければ」と望まれるような生き方。梅の花のように、派手ではないけれどもよい香りを周囲に漂わせるような生き方をしたいものです。

91

お金に縛られない

――貯めようとするほど、お金は逃げていく

お金の悩みから自由になる言葉

ときどき「お坊さんというのは、お金の悩みがないものですか?」と聞かれることがありますが、これは少々、答えに困る質問です。

いくら私が禅の坊主とはいっても、やはり生活をしていくためにはお金は必要です。子どももいますし、自分が生きるために必要なものも買わなければいけない。

禅の教えでは、お金を求めること自体は悪いことではないけれど、決してお金に縛られてはいけない、と言っています。

日本の曹洞宗をひらいた道元禅師は**「修行者は名聞《みょうもん》利養《りよう》にとらわれてはいけない」**と戒めました。名聞とは名声のこと、利養とはお金のことです。

不思議なものでお金とは、執着すればするほどに逃げていくものです。お金のことを考えるのではなく、今自分がやるべきことだけを考える。

どうすれば社会に貢献できるのか。自分は何をすれば世の中の役に立つのか。それをしっかり考えて行動していれば、必要なお金は世の中を巡りめぐって、自分のもとにやってくるでしょう。

92

不安なときほど、自分を信じる

――不安の裏側にある自信に目を向ける

不安にも、表と裏の顔がある

一生懸命に受験勉強をしてきて、いざ試験当日を迎える。

時間をかけて準備をしてきたプレゼンの本番が、今日。

自分では頑張ってきたつもりでも、いざ本番直前になると不安感が襲ってくることがあります。もしかしたら人間は、頑張れば頑張るほど不安になるのかもしれません。

そんなときには、「不安の裏側にあるもの」を見てください。そこには必ず「自信」というものがあるはずです。

裏側に自信が見える不安は、気のもちようでいくらでも乗り越えられます。

そして、日頃から、自分を信じる癖をつけておくのも大事です。

よく言われることですが、自分に自信をつけたいなら、はじめから大きな壁に挑むよりも、まずは自分の限界を少し超えたところにチャレンジすること。それを成し遂げたという達成感の積み重ねが、やがて自信に変わってくるものです。

大丈夫、大丈夫。

あなたは今までだってなんとかやってこられたのですから。

93

季節の移ろいを感じる

——生きる勇気が湧く

これが、世の中にある「唯一の真理」

いかに世の中が変わろうとも、絶対に変わることのないものがあります。

それは、春になれば芽が吹き、秋になれば葉が落ちる――つまり、「あるべきものが、当たり前にある」こと。それこそが仏教で言うところの「仏」です。

たとえば春というものは、実は実体としては何もない。これが春だというものなど存在しません。

でも、冬の終わりには北風から南風に変わる。南風が吹けば気温が上がり、やがて草木が芽吹いてくる。その様子を見て、私たちは春になったと感じるわけです。

もしも草木が芽吹いていることに気がつかない人がいれば、もしもそれを見て何も感じない人がいたなら、そういう人のところには春はやってきません。

中国の北宋代の詩人、蘇東坡《そとうば》は、目の前の春の景色に心を打たれ、**「柳は緑、花は紅、真面目《しんめんもく》」**と言いました。当たり前の姿にこそ真実がある。

素直な心で日常のなかにある真理――仏――に気づいてください。

その気づきは必ずや、私たちに生きる勇気を与えてくれます。

94

何かを育ててみる

――物や人を「いとおしむ心」

「人生で大切にすべきこと」を知る

近頃は、積極的に土に親しむ人たちが増えてきました。

田舎に土地を買い、休みの日には畑仕事に勤しむ。あるいは自宅の庭に小さな菜園をつくり、そこで野菜や花を育てる。素晴らしいことだと思います。

土を耕して種を蒔く。日照りが続けば憂い、雨が続けば心配する。ただ単に作物を育てる行為だけでなく、その時間と思いを味わっているのでしょう。

そして、生き物が育ってくると、無条件に嬉しくなります。ほっとします。自分が愛情をかけた分だけ、生き物からも大きなエネルギーが返ってくるのです。

やがて、作物がまるで自分の分身みたいに思えてくる。そうなればこそ、決して無駄にはできないという愛着が芽生える。

スーパーに並んでいる大根を買ってくれば、それは単なる大根にすぎません。しかし、自らの手で育てた大根は、ただの〝食材〟を越えたものになる。

何かを育てるという行為によって、物を大事にする心、人をいとおしむ心が育ってくるのです。

95

「自分の声」に耳を傾ける

――その「気づき」を大切にする

「枯山水」は、隠遁生活の象徴

禅寺のなかには「方丈《ほうじょう》」と呼ばれる建物があります。ここはかつて、その寺の住職の生活の場として使われており、「禅の庭」は方丈にくっついた形でつくられます。

つまり、住職は自分の生活の場の正面に、理想とする庭を設えたというわけです。

これは何を意味しているのか。

「禅の庭」の多くは枯山水です。もともと禅僧の理想とする生活は、深山幽谷に籠もり、ひとりで修行をすることにあります。あるいは隠遁生活をひとり楽しむ。言ってみれば、江戸時代の名僧、良寛のような暮らしを理想とするのです。

ところが実際には、なかなかそういう暮らしはできないもの。そこで深山幽谷を象徴するような形で枯山水ができ上がったのです。

こういうことを知った上で「禅の庭」を楽しんでみるのもいいものです。

しばし深山幽谷に迷い込むような気持ちで、坐してみてください。

――いかがですか？　何の計算もなく、何の縛りもなく、心が透明になったとき、自分本来の姿がひょっこり顔を出すことでしょう。

96

一日、一日を大事に生きる

——人生は本当にあっという間だから

自分らしくない時間は空っぽ

合図を告げるときに打ち鳴らす木板（板木）に「生死事大《しょうじじだい》」と墨で書かれているのを見たことはありませんか。人生には運不運がつきものですが、一日一日を大事に生きる。それを続けてこその人生、という言葉です。

先代である私の父は、若い頃に戦争を体験しています。

ひと時も予断を許さない銃撃戦。敵が激しく攻めてくる。必死になって伏せて弾から逃れようとする。銃撃がやみふと頭を上げると、両隣に伏せていた仲間が死んでいた。その話の最後に、父はいつも「今、こうして生きているのはありがたいこと。人間は目に見えぬ大きな力によって生かされている」と言っていたものです。

私たちは生かされている。だからこそ、命を無駄にしてはいけない。

本来の自分を素直な心で見つめ、自分が思ったときに、自分のやりたいことを必死でやる。自分らしくなく過ごした時間は、空っぽです。

さあ、目を覚ましてください。

今日はどんな一日にしましょうか？

97

命を大切に使う

――命は大切な「預かりもの」

「自分の命」、でもあなたの所有物ではないのです

突然ですが、命とは、誰のものでしょうか。

「自分のものに決まってる」と即答した方、ぜひ一緒に考えてみましょう。

仏教の世界には**「定命《じょうみょう》」**という言い方があります。定められた命。人にはそれぞれに定命がある。生まれ落ちたその瞬間から、その人間は一生の長さが決められている。でも、その長さは自分も家族も誰もわからない。

つまり、生きるというのは、「預かりもの」の命を大事に使うことなのです。命は決して自分の所有物ではなく、大切な大切な預かりもの。そして、寿命がくれば、その命を大切に大切にお返しする。

なかには、命を長く預かる人もいれば、十数年という短い時間だけという人もいます。なんとも仏様とは不公平なものだと思われるでしょう。

しかし仏教で説くのは、「命の価値」＝「時間の長さ」ではないということです。

大切なのは、自分に与えられた命を「いかに使うか」ということ。

今日一日、あなたは命をどのように使いますか。

98

準備を怠らない

――縁は万人に同じようにやってくる

チャンスを手にする人、逃す人

「因縁《いんねん》を結ぶ」という言葉があります。物事は、「原因」と「縁」が結びついて結果が出るということです。

禅では、こういうたとえ話をします。

二本の梅の木があり、一方の梅の木は、春風が吹いたらすぐに花を咲かせられるように、寒い冬の間にも準備をしていた。もう片方の梅の木は、春風が吹いたら準備に取りかかろうと考えていた。まだまだ寒いと思っていたさなか、突然春風が吹いてきた。準備をしていた梅の木はパッとその縁をつかんで花を咲かせ、もう片方の木はその瞬間に花を咲かせる準備を始めた。

ところが翌日には春風はすっかり影をひそめ、また真冬の寒さに戻ってしまった。結局準備を怠っていた梅の木は、その年に十分な花を咲かせることができなかった。

人もまた同じです。

縁という風は万人に吹いてくるもの。そのチャンスを活かせるかどうかは、日頃の心がけや準備によるのです。

99

死にざまを考える

――どう生きるかに迷ったら

幸せはすぐ近くにある

生死《しょうじ》という言葉があります。

人はこの世に生を受けて、そして死んでいく。それはまさに表裏一体のもの。生きざまを考えることは、すなわち死にざまを考えるということでもあるのです。

たとえば、半年後に自分の命が終わると言われれば、その半年間にやっておきたいことを必死で考えるでしょう。それがもし、一カ月になったら？　一週間になったら？　明日、命が尽きることになったら？　きっと、今、この瞬間にやるべきことが自ずと見えてくる。今日一日を無駄にできないと思うはずです。

人生は、あっという間。本当にあっという間です。

休日の昼間にテレビを見ていたら、いつの間にか夕方になっていたという経験はありませんか？　ああ、ついつい無駄な時間を過ごしてしまったなあ、と思う。何かを得たいとか、何かのために頑張るとか、向かう方向が見えていない時間というのは、無駄な時間と感じるもの。

あなたに与えられた「あっという間」の時間が、どうか無駄になりませんように。

100

「今」「このとき」に力を出し切る

――人生は、長くて短い修行です

みごとに「今日」を生き切った私の父

私の父は八十七歳で天寿を全うしました。数年前からガンを患っていましたが、まあそこまで長生きすれば「天寿ガン」みたいなものです。

亡くなる前日まで、父はお寺の草取りを三時間もしていました。亡くなった日もいつも通り朝早くに起きて部屋の片づけをし、掃除をしていました。

昼食後、ちょっとふらついて胸をぶつけ、検査のために病院に出かけていった。血圧を計ってみると、異常に血圧が下がっており、血圧を上げる点滴を終えてまもなく、静かに逝ってしまったのです。

なんとみごとな死にざまでしょう。とてもこの父にはかなわないと思ったものです。ただひたすらに今を生きる。亡くなるその日まで庭掃除という修行に励み、体が動く限り、自分に与えられた使命を果たそうとしていた。

もしかしたら父は、自らの死期を予感していたかもしれません。しかしそれは父にしかわかりえないこと。

死ぬその瞬間まで修行であることを、身をもって教えてくれたのだと思います。

本書は、本文庫のために書き下ろされたものです。

枡野俊明（ますの・しゅんみょう）

１９５３年、神奈川県生まれ。曹洞宗徳雄山建功寺住職、庭園デザイナー、多摩美術大学環境デザイン学科教授、ブリティッシュ・コロンビア大学特別教授。

玉川大学農学部卒業後、大本山總持寺で修行。禅の思想と日本の伝統文化に根ざした「禅の庭」の創作活動を行ない、国内外から高い評価を得る。芸術選奨文部大臣新人賞を庭園デザイナーとして初受賞、ドイツ連邦共和国功労勲章功労十字小綬章受章。また、２００６年のニューズウィーク日本版にて「世界が尊敬する日本人１００人」にも選出される。

主な作品に、カナダ大使館東京、セルリアンタワー東急ホテル日本庭園、ベルリン日本庭園など。主な著書に『禅の庭――枡野俊明の世界』『禅と禅芸術としての庭』『禅僧とめぐる京の名庭』などがある。

知的生きかた文庫

禅《ぜん》、シンプル生活《せいかつ》のすすめ

著者　枡野《ますの》俊明《しゅんみょう》

発行者　押鐘太陽

発行所　株式会社三笠書房

〒一〇二―〇〇七二　東京都千代田区飯田橋三―三―一

電話〇三―五二二六―五七三四〈営業部〉

〇三―五二二六―五七三一〈編集部〉

http://www.mikasashobo.co.jp

印刷　誠宏印刷

製本　若林製本工場

ISBN978-4-8379-7797-1 C0130

C40039